村尾次郎【著】
小村和年【編】

昭和晩期世相戯評

小咄 燗徳利

錦正社

目次

はしがき……2
昭和五十四年……5
昭和五十五年……31
昭和五十六年……59
昭和五十七年……87
昭和五十八年……113
昭和五十九年……139
昭和六十年……165
昭和六十一年……193
昭和六十二年……223
昭和六十三年……247
昭和六十四年／平成元年……277
あとがき――出版までの経緯とお詫び――……279

凡例

一、本書は歴史学者の村尾次郎が『月曜評論』誌に昭和五十四年一月から平成元年一月まで、十年にわたつて連載した随想「声ある声」の一部を再編集し、一冊にまとめたものである。詳細は、「はしがき」および「あとがき」を参照されたい。

一、タイトルは、著者が連載後に本書刊行のために付したものであるが、一部無題のものについては編者がタイトルを付し、「タイトル編者」と明記した。

一、表記は、原則として歴史的仮名遣ひを使用した。ただし、著者の江戸弁の語り口調を活かした箇所や片仮名表記などについては、拗音や促音を使用した箇所もある。漢字は原則として通行の字体を用ゐたが、人名など一部の固有名詞は正字体を用ゐた。

一、読者の記憶を喚び醒すヒントとなる事項については、補注を施した。

一、今日の人権意識に照らせば不適切と思はれる表現等についても、当時の時代背景も考慮し、そのままとした。

昭和晩期世相戯評

小咄 燗徳利

村尾次郎

萬歳（大和名所圖會）

はしがき

これは週刊誌『月曜評論』の「声ある声」欄に十年余にわたつて連載した〝やんちゃ〟談義の一部である。はじめ本欄は作家玉川一郎さんの担当であつたが、昭和五十三年の秋風にさそはれて帰らぬ人になつたので、私がその跡を継ぐことになつた。

『月曜評論』はマスコミの誤報、虚報や偏向に目を光らせ、鋭く批判することを紙面づくりの基本にしてをり、本欄もまたその趣意から外れた枠ではなかつたけれども、題材の選択や、フィクション構成を執ることも自由であり、ちょっとした息抜きの場として執筆者に一任されてゐたから、私にもできさうな気がしたのである。玉川さんのやうに巧くは書けないかもしれないが、せめて週に一回ぐらゐは生来の茶目気を筆に乗せて、落語の熊さん、八っつあんや、角《かど》の隠居になりすまし、ちょぼくれまがひに言ひたい放題のいたづらがきをしてみたら、さぞや溜飲がさがるだらうなと思つた。敗戦後の横状《よこしま》な世相や、根本的に相容れない思潮の中でもがいてゐれば、啖呵の一つも切りたくなるのは私ばかりではあるまい。どうも、みやびの道からは程遠い下世話だが、これでいかうと腹を括つたのであつた。

私にはもともと、新聞を毎日熟読する習慣が無い。新聞記事を鵜呑みに信じ込む気はさらさら無い。だから、穴の明くほど紙面に喰入てゐる人を見ると、目に毒ぢやないかと忠告したくなる方である。しかし昭和三十年代になつてからは、さうも言つてゐられなくなつた。文部省で教科書の検定にたづさはつてゐる私はマスコミの絶好のターゲットになつた。マスコミは当時の歴史学界や教育界を席巻してゐる左傾化の側に立つて紙面を組立て記事を流し、私を右寄りの反動の急先鋒と見做して攻め続ける。昭和四十年になると、此の構図が教科書検定違憲訴訟、俗にいふ家永裁判に聚斂され、法廷が川中島になつた。私は心ならずもこれと矢を合せる。そして、否応なく新聞や週刊誌に目を通すやうになつたのである。

昭和五十年の春、私は公務から離れて自由な学究生活に戻つた。そのときすでに、いろいろな仕事が私を待つてゐた。戦後の国語・国字制度を修正するための活動は十年前からの続きであり、元号法制化や、由緒ある地名を保存するための法改正運動などは歴史家としての基本的な重要事であつたが、韓国の史学者たちと交流して相互の歴史認識の間によこたはる深い溝をどう処理すべきか検討することや、台湾教育界との研究交流の運営も此の年代における私の軽からぬ仕事であつた。その間にも教科書問題は延々と続いてをり、遂には外交問題に発展して、日本は国家として深い傷を負ふに至つた。これを黙視し難いとする人々の間に新しい教科書の著作が企てられ、私は求められてそのお世話をすることになる。これがまた、大変な難行苦行であつた。いはゆる新編日本史問題である。私の小咄の一点一点はこのやうなもろもろの課題に取組んでゐる最中の汗の一雫であつて、この雫は良き国風を享け且つ伝へることを己が天職と心得て俗世に抗《あらが》ふ一学徒の束の間の悠々渺々記であつた。

「十年余の連載」をこまかくいへば、昭和五十三年十月（第四〇六号）から平成元年二月（第九四四号）までであり、その間に、合併号もあれば休載もあつたが、総《そう》でで五百三十回に達した。拾つた題材はたまたま耳目を驚かせた時事問題もあれば、旅先での経験や身辺の小事もある。マスコミ批判もしないではなかつたが、際物《きはもの》屋に落込むのはいやだといふやうな気持が勝つて、書くためにわざわざ新聞を見るやうなことはしなかつた。

書き始めてからすでに二十年以上を経過した今となつては、その時分の事についての人々の記憶は薄らぎ、簡略な表現の短文は読者にその意味が通じない、といふことも起きてゐるだらう。そこで、いろいろ勘案した末、切りのいいところ昭和五十四年正月（第四一三・四一四合併号）から同六十四年一月、昭和天皇崩御（第九三九号）までを限りとして二百五十八編を自選した。そして、これに燗徳利《かんどつくり》の名をかぶせたのである。此の書名は以前から温めてゐたものであるが、別に深いわけがあつてのことではない。酒徳利は私が長年親しんだ仲間であり、文は酔筆のたぐひ、いはば一老酒徒のたはことにすぎないからである。

昭和五十四年

新醸の瓢滴

（一月元日）

賀正己未元旦

●お祝に西行の歌を一首、呈上な致さん。山家集より。

年くれぬ春くべしとは思ひ寝にまさしく見えてかなふ初夢

では次に、一茶の句を。

あら玉のとし立かへる虱哉

ああ、かゆし、かゆし。さらばちと、ふざけたる替歌を添へよう。

ひとだまのひつくりかへるあしたには末期の水をくみ初めにけり—

●かつて京都でよばれた玉龍といふ酒のうまさを忘れかね、なにとぞして今一度と乞ひ願つてゐたところ、暮れの某日新醸、どのぐらゐほしいかと吉報到来。やれうれしやと一斗注文、末期の水ならぬ新醸の瓢滴、いい正月だぜ。

●酒は色沢と香気と風味の三位一体となつて人を酔郷にいざなふ。なかでも風味は最も大切である。老生、吹く風は好かんがただよふ風は好もしいと思つてゐる。孟子には、故家、遺俗、流風、善政とある。日本にはまだ故家あり流風あり、遺俗と善政の方はちと危なつかしいが、故家流風のあるところ、必ず善政は行はれるであらう。

為政者よ、新内閣よ、決然立つて風流斬魔の剣をふるへ。政策に風格あらしめよ。故家流風のしるしたる元号を守れ。まさか、ケロリと忘れた風はすまいな。西行の作をもう一つ贈る。

家の風つたふばかりはなけれどもなどか散らさぬ※なげの言の葉

※なげ—歎く

芹のおしたしで一杯

（一月八日）

●正月の七日には門松をとりはらつて、春の七《なな》種粥《くさがゆ》をすするもんだとさ。せり、なづな、おぎやう、はこべら、ほとけのざ、すずな、みみなし、野や沢や畦畔のどこにでも生えてゐる越年生草本だ。ちかごろ東京では、向島の百花園で、十二月一日にこの〝ななくさ〟を籠盛りにして早いもの勝ちに売つてくれる。

「仏の座」なんて名は珍妙だねえ。こちとら町ツ子だから草には弱い。百花園ではコオニタビラコを「仏の座」としてゐるさうだ。二十年前にいまの家へ引越したとき、女房が裏の泉のほとりから芹を摘んできた。芹なんかが生えてゐるびちゃびちゃした処に住むやうになつたたあ、落ちぶれたもんさ。だがね、池の端の野草を銭いらずで摘んで味はふなんざあ乙《おつ》だ。芹のおしたしで一杯、なんてのはどうかね。これで万病退散とはありがたや。ポンポン（かしはでの音）、ああ、無病息災、延命長寿、家内安全、商売繁昌、良縁子宝、福徳円満、受験は合格、極楽往生、ハイ、南無阿弥陀仏。

●アメリカがたうとう、元日から北京と公式に手をにぎつて、台湾から大使館や軍隊を引上げる。いままで台湾と結んでゐた手は日本方式で子指だけまだちぎらずにおくといふことだが、大丈夫かなあ。子指は小さいが、指きりげんまんの指だから、あてにするか。それにしても、密々のうちに事を運んだとみえて、その道にくはしい人も眼をむいてゐたつけ。

政府の借金証文

●国会では予算審議が始まる。国債が大増発されて、昭和五十四年度は歳出の約四〇％をまかなふことになる見込みだといふ話に驚いた。三〇％を越したら危険だ、それ以下に抑へなければいけない、なんて言つてた当局が、その舌の根も乾かないうちに、この一年二年、ドカドカ借金証文を出す。なんのこつたい。

円高問題でも、専門家たちは、一ドルが二百円を割るやうなことにでもなれば日本の経済はご破算だなどと触れまはつてゐた。その面々が、一八〇円そこそこになつたら知らん顔の半兵衛だ。まつたく、無責任だよ。事態は専門家の屁理屈とは無関係に進行し変化する。事が前の方へ進んでしまつてから、言ひわけがましい解説なんかしてばかりゐられたんでは、国民はいい面《つら》の皮だ。

●だいたい、借金で歳出をまかなふのは江戸幕藩二百年来のお家芸だ。街道筋のちょっと古い家の箪笥の抽出をあけてみな。大名貸し、旗本貸しの古証文が山ほど出てくるよ。あれで、よくもまあ永い間、政権の屋台骨が折れてしまはなかつたものだと感心するぐらゐだ。

およそ、借金といふやつは、借りぐせがつくと割合平気になるもので、借りてゐるといふ実感が薄くなつてくる。おまけに、一国の財政ともなると、国民の経済の向上のためとか、景気浮揚のためとか、おためごかしの看板があがるので、借りた金は返すものだといふ基本観念がフワフワしてしまふ。景気浮揚ぢゃなく、責任浮揚、糸のきれた凧の如しだ。お気をつけ遊ばせな。

（一月二十二日）

菅茶山も泣く共通一次試験の忙しさ

（一月二十九日）

●国立大学入学のための共通第一次試験が実施され、マスコミは紙面を大動員して問題や解答を掲げた。毎年、一月から三月へかけては、日刊紙、週刊誌のなりふりかまはぬ入試情報が筆者を不快におとしいれる。受験雑誌にまかせておけばよいものを、他人のたんぼにふみこんできて荒かせぎをしようといふんだから、品が落ちることおびただしい。いい加減にやめたらどうだ。

●とはいつても、記事に出たから、その問題を見てゐると、よし、おのれも※斎藤別当実盛よろしく、一丁、受験生になつたつもりで、せめて国語、社会ぐらゐは解いてやらう、さういふいたづらごころをむらむらさせてとりついてみた。問題を読みながら、出題者に同情して声もつまる思ひがした。よくもまあ、こんな小細工をしたもんだなあ。これゃ、作つた人間の一部分は神経衰弱にかかつちまつたんぢゃなからうか。ところがどつこい。出題者も受験生も、学校の先生もすつかり小細工になれきつてゐて、ビクともしてゐないらしい。ああ、小細工職人養成システム！

●漢文の問題はおもしろかつた。頼山陽が菅茶山のゆつたりした作詩生活に感銘をうけるといふ話なのである。さういふ文章を出しておきながら、採点方式の制約からだらう、コチョコチョと小さい問題を並べて、その部分だけ答へさせる。菅茶山も頼山陽もあつたものぢゃない。泣いてるね、かれらはきつと。

※斎藤実盛―七十三歳で合戦に参加した平安末期の武士、白髪を黒く染めて戦ひ、討死。

圓朝作『後開榛名梅香』

（二月十九日）

●気温高のせゐで、この立春には梅の花が咲きそろつてきた。京都北野の天満宮では二千株の紅梅白梅がぐんぐん開き、例年より一週間も早く公開といふ次第。関東では水戸偕楽園の梅、こちらは三千株が気のはやいことに正月早々からポツポツ開き始めて、いまでは満開に近いていたらくだといふ。

かく申す拙宅の紅梅も、ご近所のよりは少しおくれぎみだが、いまは七分といふところか。

●梅は寒苦を経て清香を発す

古人の格言やよし。今年の梅は色こそいつもと同じやうに綺麗だが、香りの方はだめなのであらう。梅の香りは男児の正気だ。そのむかし、三遊亭圓朝は上州仁俠の梅吉を題材にして後開《おくれざき》榛名梅香《はるなのうめがか》を作つた。「おくれざき」は寒苦を経た梅の花だ。明治初期には道徳教育推進政策が芸能界にも及んで、圓朝らも一役買つた。塩原多助の噺などはその代表作だが、梅吉の伝はそれよりも前にできてゐる。圓朝はくはしく現地取材をした。

●圓朝は山岡鉄舟について禅の修業をしてから本物になつた。清水次郎長もさうである。鉄舟の眼は大きくて、澄んでゐて、やさしい。修業の極致を示してゐる。いよいよ死期が迫つたとき、鉄舟は枕頭にはべる圓朝に素噺《すばなし》を所望した。圓朝はベソをかきながらお役をつとめたといふ。やがて、夫人に背を支へられた鉄舟は、床の上に坐禅を組んで、大往生をとげたのである。

成金どもの雛遊び

（三月十二日）

●※元号法案はいつたい、どうなつたんだえ。二月二日に政府が国会へ提出したまではよかつたが、「ああ、それなのに、それなのに、ねえ」、議運とやらいふ関所で社共に抑留されて棚ざらし同然、ご入来を待ちわびてゐる※内閣委員会はあくびの連発だあな。バカげた話つたらねえや。「おつこるのはあつたりまえでせう。」トットとやんなトットと。（国民）

●三月三日のひな祭り、昔は「ひひな」とのばして可愛らしく呼んだもんだ。平安のいにしへから伝はる乙女たちのこの年中行事は今も衰へてゐない。衰へてゐないどころか、成金めあての人形屋の商魂、いやが上にも高まつて、並ぶは並ぶは、きらびやかな大型段飾り、五段、七段エトセトラ。「枕の草子」は二七段、「すぎにし方、恋しきもの、枯れたる葵、ひひな遊びの調度……」。清原博士の娘であり、有吉佐和子の遠祖みたいなかしこい女流作家・清少納言なんかでさへ、おひなさんは紙の手作りで遊んだもんだ。ああ、すぎにし方、恋しきものだねえ。蛙が鳴きはじめたよ。グー、クー、ク。（不精ひげの貧書生）

●熊「Ｅ２Ｃつてやつなあ、それ、あの、でつけえお皿を背負つた飛行機よ。買つちゃいけねえのか。」

八「文句があるらしいぞ、それあ。」

熊「さういつたつておめえ、敵の飛行機にスンナリへいりこまれて打つ手もねえ日本だ、それが防げるつてんなら、なにはともあれ、買やあいいに。どうも解せねえ。国の安全はほつたらかしで、金の流れとやらばつか追つてけつかる。」（横丁にて）

※六月六日、元号法案参議院可決、法制化成る。

未成年刑法犯十二万二千

●明治天皇が軍人に賜りたる勅諭は、いとどきびしき今の世のいましめなるぞ。いでやそのいはれを左に述べん。五箇条にいはく。忠、礼、武、信、質。これをむげにしりぞけては人の世の治まるべしとも思はれず。不実、粗暴、卑劣、裏切り、贅沢のさばへなし、わきあがり、はびこりて、争ひに明け暮るる末世の相をば現ずるなり。

●勅諭をののしりて「天皇への盲目的忠節を求むる」ものとなし、日本国憲法の精神に反するものとなすともがらに至りては、その愚劣奸佞や救ふべからず。忠は知、節は勇と誠の所産なり。「痴人の盲従」かかはるなし。これとかれとを混同公言して世を惑はす者を国の賊とは申しはべる。ここに声あり「元最高裁長官石田和外老の防大卒業式祝辞に喝采を送る」と。

●警察庁発表「少年非行の概要」にいふ。昨年の未成年者刑法犯は十二万二千人余り、この中、強盗、強姦、放火、傷害などの本格派犯人は十一万七千人であるとか。これを率でみると、千人あたり十二人強が警察のやくかいになつてゐるのださうだ。そして、今年は年頭から子供の自殺騒ぎである。世間では、やれ家庭教育がだめであるの、社会がいけないのとかまびすしいが、しかし一番の悪は世間的リーダーたちの中で、口をつけば「人権憲法」をかつぎ出し、誠実な意見を弾圧する連中が幅をきかせてゐることである。かれらの無責任は極まれり、これで非行増大にストップをかけようたつて、できつこない。

●風神シナトベよ、諸悪を吹きとばしたまへ。速川のセオリツヒメよ、諸悪を流し去りたまへ。

（四月二日）

気象台の靖國ソメヰヨシノ開花宣言は「憲法違反」（四月九日）

●中央気象台は、そのうちに、憲法違反の科で裁判所に訴へられるかもしれない。そして、審理の結果、必ず敗訴の判決が下るであらう。この訴訟の内容は左の如し。

　気象台は毎年、さくらの開花宣言を出すが、基準にしてゐる桜樹は靖國神社境内のソメヰヨシノである。これは、気象台が過去何十年にわたつて軍国主義を謳歌（桜花）し、それを全国民に対し権力的におしつけてきた事を示すものであり、違憲である。

　右の判決。——中央気象台は「他人の干渉を受けることのない平穏な環境の下で、宗教上の感情と思考を巡らせ、花見をなす利益」を保障されてゐる国民の「宗教上の人格権」を著しく侵害してをり、憲法に違反してゐる。——山口※地裁判決文よりの妄想。

●三月二十五日に水戸へ行つた。翌朝、地方紙「いはらき」を見る。県内範囲ぐらゐの地方紙が新聞としては一番おもしろい。二十五日は日曜日で、水戸市内は各種の催しや会合で大賑ひであつた。いはく、第二十回全国選抜少年剣道錬成大会、いはく、第五回茨城寮歌祭、いはく、旧陸軍航空通信学校附属発動機工場従業員の同窓会「えんじん会」など。全国紙だつたら一行も出ないやうな報道かもしれないのに、いとも懇切に紹介されてゐて、ほのぼのとした感じを受ける。私はその中の一つに参加した。東京からやつてきた人のほとんどは日帰りしたが、私は飲み歩いてくたばり、一泊とは相成つた。地方紙はおもしろい。

※殉職自衛官が山口県護國神社に合祀されたのに抗議して、その妻（キリスト教徒）が起した違憲訴訟の判決文のもじり。

地方紙は面白い

（四月十六日）

●「地方紙はおもしろい」の続き。京都新聞が創刊百周年を迎へ、四月一日の朝刊はその記念大特集号四十面、四十四万五千部を発行した。旅先のつれづれに、隅から隅まで読んでみて、やつぱり、おもしろいなあと、改めてさう感じた。特集の方はまあ、読んで字の如し、おもしろいのは二十面市民版にある「まちかど」欄などだ。こいつあ親しめるねえ。その中の一つ二つを拾ふ。

「あすの縁日」はてえと、今宮神社お旅所の朝市に田中市場の昼市、生まれた「赤ちゃん」が下京の彩佳ちゃんに左京の知香ちゃん、右京の有希ちゃん以下おぎゃあ、おぎゃあ。人生おさらばの「おくやみ」には鞍馬口通寺町西入ル◯◯さん（八五）以下の仏さま。これ、いはゆる名士を選んでの訃報にあらず。地方紙には住む人々の暮しのにほひがそのままただよつてゐる。

●京の小路の一角は眠つたやうに静かだつた。府議会議員の候補者がつれの二人と三人でトボトボ歩きながら、旅人にもあいさつしてニッコリした。

●四条通りを歩いてゐて、腹ペコになつたんで、うどん屋へ入つた。品書きを見ると、「親子なんば」の次に「他人なんば」てえのがあつたからそれをとる。なんのこたあない、玉子とぢの中に牛肉のかけらが二つ入つていたつけ。丼物の中には衣笠ドンてのがあつたんで、店のおばさんに、「こりゃ何だえ」と聞いたら、玉子とぢの上に油揚げがのつかつてるんだとさ。

福祉は示偏に注目のこと

（四月二十三日）

●生け垣の乙女椿が淡紅の花をつけて、可憐な風情だ。〝あかめもち〟の新芽がツンツン天を向いて伸び、世は春色に包まれてゐる。鶯がうれしがつて、チャツ、ケキョ、ホー。いいねえ。これがほんとの福祉だよ。

　畐は酒樽や、腹のふくれた徳利壺などのことだといふ。これに、祭机の形をあらはす示偏が付くと、神前供物のお下りを頂戴する意味になる。また、祉は神さまがそばに寄り添つてゐてくださることなんださうだから、福祉とはありがたいことだ。ただし、示偏を忘れちゃいかん。つつしみなくして福祉なし、「おい、知事候補、よもや福祉をそでにしやぁしめえな」なんてすごむやからに福の神はそつぽを向くにきまつてる。花も芽もないブロック塀なんかで自宅を囲ひながら、役所へは「緑をよこせえ、自然をもどせ」えなんて騒ぎたてる奴を禄でなしと言ふ。禄も示偏だぞよ。

●※常用漢字表中間答申発表。奴・翁・婆など消ゆ。

奴ずし「うちの店はたうとう常用からはづされた」

翁ずし「うちだつてさうさ。婆さん怒つてたぜ、あたしも消されちゃつたつてなあ」

叶ずし「うちなんざあ、はなつから追放だあ。こんど〝汁〟が常用に返り咲いたが、ほんのちょつとの違いで仲間つぱづれたあ、なさけねえ」

酔客「おい、鮑《あはび》に蝦蛄《しやこ》」

奴・翁・叶「へえい」

※戦後の極端な漢字制限（当用漢字表）をゆるやかな目安（常用漢字表）に改める国語審議会の答申。

狸のキンタマ八畳敷

（五月二十一日）

●文福茶釜[※]の茂林寺に遊ぶ。人間世界よりは狸の方がましかと思つたからなのだが、行つてみて、狸とは人間の異名だとわかつた。

大野原の中にひとときは茂る森の中、楼門から本堂までの参道の両側にずらり並んだ大狸はキンタマが八畳敷ぞろひの一偉観。しかし、これは病気、古名は下重または陰頽、別にソヒともいふ。男性器の象皮病で、病原は住血性糸状虫のフィラリアである。この虫は人間の血液に入つて繁殖し、ために淋巴管は虫でつまり、陰嚢は結合増殖生により慢性的に肥大して地面にひきずるほどでつかくなる。

昔、寺の鬼門に古池があつた。そこらがフィラリアの巣だつたんだらう。狸は村人の姿、寺では八畳敷の怨敵退散祈禱をしてゐたにちがひない。

●みやげもの屋で文福正宗といふ地酒を買つてきてぺろりと飲んだ。この他「へそまがり饅頭」てのもあつたんだが、こいつあ、共食ひになるから、よしといた。

●二日後、さる古寺で清遊。談たまたま狸に及ぶや、弾みに弾んで両国橋は「ももんじ屋」の狸汁の味にまで発展した。そのまた二日後、テレビは報じた。二十六歳の病身の男が急に庭に跳び出して怪しの振舞。こいつあ狸が憑いてゐる、狸を追ひ出せと棒きれにぎつた家族らが、ピシャリ、ピシャリと男をぶつたたいたら、狸はシッポも出さずに男の方が死んじまつたと。いやはや此の世は狸ばやり、こまつたご時世でごさるよなう。

※茂林寺＝群馬県館林にある。
文福茶釜＝狸が坊さんに恩返しをする説話。

ホメイニ氏替玉説

（六月四日）

●さて、驚いた。イランの革命指導者ホメイニの替玉説流る。流したのは英紙デイリー・エキスプレス。現代海外天一坊※物語か。ほんものは右手の中指を失つてゐるのに、乗りこんできた人物にはちゃあんと五本の指が揃つてゐる、写真で露見といふ次第。しかしなあ、亡命中に義指を付けたのかもしれないし、こいつあ、まゆつばだぞ。

　ところで、日本の新聞記者にはかういふ大胆さが無いやうだ。この手の怪奇情報は外紙の輸入ばかり、なさけないねえ。老生は前に書いといたはずだ。「ホメイニ派をホメ上げる」だけぢゃ能がないつてな。ほめるか、けなすか、それだけでは「新」聞にならんよ。大勢順応に鋭敏なる記者諸君。

●朝日新聞五月二十一日朝刊の国際欄は、見開き、右に特派員報告「『言論の自由』へ戦う韓国記者」、左に連載「北朝鮮の素顔6『楽園思想』」を配置した。韓国のジャーナリストたちは「当局の意のままになつてゐる」言論界を批判して、「権力によつて都合の悪いニュースは机の引き出しの中でおしゃかになつてゐる」と叫び、北の編集者は「社会主義建設などでの肯定的実例を発掘して報道するのに力を入れ」てをり、権力の腐敗や過誤をゑぐる「否定的側面は新聞にはあまり出さない」とうそぶく。韓国の「非自由」、北の「楽園」、両方ともひとしく権力作用で形成されてゐる。さて、この現象と、この記者たちの対応、どつちがどうだか、それを論じてくれなきゃあ、「日本」の新聞たあ、言へないやね。

※徳川八代将軍吉宗の落胤を詐称して江戸に現れ、身分を主張したが正体をあばかれ獄門にかけられた大岡政談の一話。芝居にもなつた。

インベーダーの流す害悪——熊さんの歎き

（六月十八日）

●インベーダーゲームの流す害毒がとりざたされてゐる。ひところは漫画ばやりで、その後、劇画とやらいふ「おもしろい」、それこそ、血湧き、肉躍るヒー、ヒャーものがはやりにはやつてゐる。それが、今度はさらにインベーダー。だがな、こんなはやりはいつでもある。驚いたり、手をこまぬいて歎いたりするにゃあ、あたらんわい。

ガキがインベーダーに使ふ金ほしさにコソドロやつたり強盗のまねしたりするなんざあ、あさめし前だよ。なんしろ、教師が教師だからなあ。

●あるところに一軒の善人の家がある。亭主はどつかの会社の部長さん、女房はグラマーのはたらきや、二人とも善い人間だ。ところがその娘たち、犬も加へて、サッパリだめなガキどもなんだなあ。ガーッと自動車でどつからか帰つてくる。たいがい、えたいのしれねえ若いもんをくはへてきてはドンチャカ、ドンチャカだ。まるでパチンコ屋とチンドン屋が引越してきたみたいだ。ワン公はめしにありつけないから、のべつにキャン、キャンとほえまくる。ドンチャカ、キャンキャン。

●親も親なら教師も教師。高校の卒業式だつてのに、ピアノで「君が代」を伴奏するつとめの音楽教師がジーパンにTシャツのいでたちで滅法戒でたらめにキーをたたいて式をぶちこはす。さうかと思ふと、中学の体育大会で、プログラムに印刷されてゐる「国旗の掲揚と降納」のくだりを鉛筆でぬりつぶさせる脳タリン教師。これぢゃあ、なんともしやうがねえ。こんなグウタラを守らうなんていふのが日教組だ。ああ、日本国滅亡の日の一日でも遠からんことを。

恩師の手土産アロエの効能

（六月二十日）

●庭の梅の実が青くふくらみ、梅雨の季節に入つた。女房はつぶやく。
「うちの梅は、粒は大きいけれど、肉が薄くつてだめ。」

それでも、梅干や梅酎をたくさん仕込むのがならはしである。できた梅干はたいてい、亭主が食べる。酒の友に秀逸、茶の伴に美味、そぼふる雨にぬれて光る青葉の茂みをながめつつ静かに梅茶をすする風趣はまた格別だ。からだにもいい。
●からだにいいといへば、先達て、小学校の同窓会があつたとき、わざわざ信州松本から来会された老先生が、
「わしゃ年をとつて、みんなにやる土産物の用意はしてこなんだが、アロエをできるだけたくさん包んできたから、希望の人にやらう」

とて、幹事に渡された。小生も一株おしいただいて帰り、鉢に植ゑた。アロエは「医者しらず」の異名とるほど薬効ありとか。しかし、のたりとした青い姿はあんまりゾッとしないなあ。
●無病を誇る我輩もつひに左眼に飛蚊症状発生す。もう癒らんぞとおどすやからあり、酒のせゐだよとぬかすものありだ。ええい、そんならかうだと、夜は眼をつぶつて原稿を書く練習をおつぱじめた。やつてみると、行間が少しつまるぐらゐで、字形はどうやら開眼時に同じ。こいつあ、ものになりさうだと自画自賛。すると、天に声あり。
「バカモン、はよ眼医者へ飛んでけつかれ」

富士登山を禁止せよ

●熊「なあ、おう、あきれて、ものも言へねえぢゃあねえか。富士山がゴミだらけだから思ひつきり掃除をしようてのに、本論賛成の教組だの県評だのつて手合が各論は反対で、掃除よか闘争に汗を出さうつてんだぜ。」八「まつたくだ。そのわけを見ねえな。自衛隊員が参加するのは高校生の教育によくねえだとか、違憲軍隊の認知につながるんだとよ。」

熊「そんなら、いつそのこと、本論賛成なんておためごかしはひつこめて、富士山なんて汚れつぱなしでも構はねえと言つちまつた方が正直でいい。連中、もともと清潔なんてことに気はねえんだからな。」

八「新聞がまたいけねえ。なんと言つてると思ふ。派手なクリーン作戦だけできれいになると考へるのも早計だとよ。派手も地味も蜂の頭もあるもんけえ。そんなの、一度だつて公共の場所を掃除したことのねえヤロードモのほざくこつたぜ。」

熊「いつそのこと、富士山は閉山にしちまやあいいんだ。五合目までもバスが行けるなんざあ罰当りよ。昔や、白衣で六根清浄と登つたんだ。そんな気持のねえ山汚しどもは全部追つぱらつちめえばどうだ。富士山は遠くからながめるもんだ。」

（七月二日）

青山に押寄せる近県女児

（七月十六日）

●小生の居る青山のさるビル八階には人気歌手の事務所がある。何人か組になつて歌ふ青年たちだ、ビルの前には朝から女子中学生がたむろして、いつ出てくるか、いつ入つてくるか、わかりもしないのに歌手たちの姿を待ちわびてゐるのである。

　放課後ならともかく、朝つぱらから学校サボつて来てゐるのだ。近所では大迷惑、警察へも通告した。しかし、警察では、犯罪的行為に及んでゐない以上、「補導」はできないと知らん顔。

　聞くところによると、くだんの女子ら、ほとんどが隣接県の埼玉や神奈川から遠征してきてゐる連中で、近所の中学の生徒はゐないんださうだ。一人二人、その子等の顔をのぞきこむ。けつして不良少女の眼付きではない。あどけない顔なのだ。しかし、こんなバカげた行為を続けてゐる中に、眼付きが悪くなるにきまつてゐる。困つたことだ。―老教師。

●七月一日から始まつた「社会を明るくする運動」第二十九回月間啓蒙の眼目は「地域活動の推進による青少年の非行防止」であるといふ。そのポスターはセーラー服の少女で「傷つきやすいぞ、青春」と書いた白帯地を境に、上がニコニコ少女、下がさかさ写しのコハイ少女だ。同じ子供がかうも急変するものであることを、世の親たちは知つてゐるのかなあ。

慣れない金集めに教へ子の同情

（八月十三日）

●台湾から四十人ほどの教師団を迎へて行はれる研究と親善の集ひに責任者のお役。慣れぬ金集めに汗だくのところ、ある夕、突然、むかし教授と学生の間柄であつた一人が我家の玄関に現れ、小生に金一封を恵んで帰つた。

今度の金集めでは、小生、教室での関係者には金銭の合力を求めない方針であつた。例外としてただ一人、手広く事業を営んでゐて、台湾とも仕事の上で往来のある某君にだけ募金書を送つた。同人からは直ちに多額の金が送つてきた。この仁が仲よし学友に電話を掛け、「おーい、先生がピンチだぞう」と陣触れをしたのださうだ。打てば響く。代表格の一人が勤め帰りに、とりあへず自分ともう一人の分とを合せて持参してくれたのであつた。

彼等は中小企業の会社でこつこつ働く貧しい人々である。さういふ人々が、教室での旧縁を忘れず、互ひに声を掛け合つて、「僅かですが」と謙虚なものごしで小生に一封を差出すのだ。なんといふうるはしさか。この金は百万の援兵に匹敵するぞ。食事の頃合なのに気をつかひ、部屋にもあがらず帰り行く彼のうしろすがたに向かつて、小生、がらになく深々と頭を下げた。

●八月十五日は、かうした奥床しさへの反逆が始まつた日であると解する。戦争からの解放と、それとは表裏縫合せになつてしまつた。平和と餓鬼道とも縫合せになつた。しかし、中にはまだ、こんな美風が遺つてゐる。ああ、さはやか。

風簷展書読古道照顔色

（八月二十七日）

●真夏の到来を告げるカナカナ蟬はあまり鳴かなかつたけれど、立秋の夜にはきちんと蟋蟀《きりぎりす》がうらさびしい鳴音を奏でた。そして、夏の終りを知らせるツクツク法師はかなりにぎやかである。この大東京でも〝虫の知らせ〟はまだ聞くことができる。余情あり。

●八月十五日は古来の祖霊祭である孟蘭盆会《うらぼんえ》と終戦号泣の英霊祭とが重なつて、日本は一時静かになる。東大病院に篤疾の身を横たへる人を見舞つての帰るさ、車で湯島、壱岐殿坂、一ツ橋、三番町、赤坂見附、青山の順に丘から谷へ、谷から丘へとゆつくり走つた。いつもはびつしりつながつてゐる車の行列もなく、いとも静かであつた。樹樹の緑は眼にしみ、清潔な街路は坦々と延びてゐて、すがすがしい。なんでも、東京は走行車の数がいつもの五分の一ほどに減つてしまつたのだといふ。人もまた故郷へ帰り、空屋が多いのであらう。

●窓辺の風鈴がチリリと鳴る。―風簷、書を展べて読めば、古道顔色を照らす―これは文天祥「正気の歌」の末句、吉田松陰が刑死を前に書き認《したた》めた「留魂録」に抄出されてゐる名句でもある。

そんなことを想つてゐると、戦友会から総会準備の会議の知らせがきた。毎年、総会への出席人数は増えてくる。人間の数が増えるからではない。人は年年歳々減つてゆくのだ。増えるのは、骨を折つて戦友を探し出しては会合への出席をうながす世話人の努力による。人の世話は厄介なことだが、世の中、これが無くなつちゃあ、おしまひだよ。

関東大震災と明治女の勇気

（九月三日）

●九月一日は関東大震災のおこつた日だ。あの猛烈きはまりない烈震のおそろしさは絶対に忘れるもんぢゃない。異常な暑さ、南の空に噴きあがる入道雲、そして怪しの強風、ゆれる前に響いてきた不気味なドロドロ音、この世の地獄といふものは一挙に人間をひきずりこむ。あれからもう五十数年の歳月は流れた。そしていま又、東海大地震発生といふ予想が立てられて、真剣にその避難対策が練られてゐる。こはや、こはや。小生の母校は静岡にあつた。在学中にも相当な地震に見舞はれてゐる。木造二階の寮舎には丸太のつつかい棒が並んでいたつけ。

●九月一日の地震のことを思ひ出すごとに、小生は母さんの勇気を讃へたくなる。揺れに揺れてゐる最中に、彼女、当時二十九歳の母さんは二階への階段をはひ登つて行つた。二階は父さんの書斎で、この部屋には重要書類がある。それを肌身につけて降りてきたのだ。明治女の強さとでもいふべきであらうか。

●道の向側の屋敷には老人夫婦が住んでゐた。地震が一時をさまつたとき、その家の風呂場の煙突から煙が立ちのぼつたのに近所の人たちが驚いて飛び込んでゆくと、このとき爺さま少しも騒がず、「わしら夫婦には信心があるによつて、神さまがちあんと護つてくださる。風呂を焚いたとて火事など起こすもんぢゃない」と空うそぶいた。みんな、カンカンに怒つて、力づくで釜に水をぶつかけ、老夫婦を沈黙させたつけ、場所は本郷。焼けたのは東大である。

ソ連の要塞キューバの怖さ

（十月一日）

●総選挙で国内が湧いてゐるやうな時には、世界地図を開いてはものを考へるのが天邪鬼の性分だ。こせこせした一票争に巻きこまれず、静かに宇内の形勢を観望し祖国の命運を予想する、騒然たる街巷の中、饒舌のつばきを避けながらの沈潜と寡黙、これに限るわい。

●わが家には新旧の地図がたくさんある。小生の所持する世界地図で最も古いのは、フィリップスのハンディ・ワールド・アトラス（一九三一年版）である。旧制高校生の時に外国語の授業を受けるために買はされたもので、今もつて愛用してゐる。女房のは吉川弘文館製「最近世界地図」（昭和七年刊）で、彼女が高等女学校の生徒のときの教科書である。表紙はとれてしまつたが、活用し続けてゐる。それらと、今の地図帳とを比較してみると、この半世紀における世界の変化が一目瞭然、そらおそろしい程である。

●小生はいま、図上のアメリカ大陸を見てゐる。それも、西印度諸島を。そして、いまさらながら此の紐のやうな細長い列島の軍事的重要性にゾクッとしてゐる。北米合衆国の南門たるメキシコ湾の出口を扼する列島の先端はキューバ、その首都ハバナ。

●ソ連はカストロを抱きこんでキューバを要塞化し、南北アメリカを分断し、北米のまたぐらに匕首をつきつけてゐる。アメリカは刺されでもしたかのやうに痛たがつてクツクツともがいてゐる。ああ、ハバナこそ、曾て※米戦艦メイン号が怪爆発を起こして、スペインとの戦争（一八九八）の発端となつた難所なのだ。さあて、日本の周辺やいかに。

※米西戦争。明治三十一年（一八九八）勃発

文化とは仏滅にして大安

（十一月一九日）

●十一月三日、静岡へ行くのに東京駅まはりは面倒なりと、成城学園駅から、小田急の並みの急行で小田原まで行き、それから新幹線に乗ることにした。その方が片道千円がとこ安上がりだからでもある。ところが電車は超満員、やつとの思ひで小田原駅へ着いたら、プラットフォームは溢れんばかりの老若男女でごつたがへした。この日、箱根の人出十五万人、さすがは「文化の日」だ。文化とは、友引である。

●小田原で乗換へた新幹線は予想したほど混み合つてゐなかつた。ははあ、今日は仏滅の日だから婚礼は無し、黒つくびに白ネクタイが乗つてゐないから空いてゐるんだらう。文化とは、仏滅のことである。

●ところでこの仏滅、いふまでもなく六曜の大凶である。室町時代にあちらから輸入された「事林広記」によるに、六曜は大安、留連、速喜、赤口、小吉、空亡であつた。それが段段やまとぶりに衣替をして、江戸の末期ごろには、速喜と小吉が先勝と先負に、留連は流連から友引に、空亡は虚亡から仏滅へと二度も改名してゐる。日本人には抽象概念は向かんとみえるわい。流連なんざあ、遊廓に居続ける意味にまで成り下がつちまつた。もつとも、その方が小粋かもしれん。

●曲輪に遊んで大安吉日、きぬぎぬの別れ惜しさに流連友引、縞の財布の虚亡となりて哀れや仏滅、なんてのは色即是空を地でゆくやうな春※色梅児誉美《こよみ》、文化とは、大安である。

※為永春水作の人情本

ものごとは気合だけでは動かない

（十一月二十六日）

●静岡県の富士宮市へ行つた。夜来の大雨は朝方やんで、風は黒雲を吹き散らし、天気は上々の日本晴。秀峰富士の白雪はまだ山襞の間を埋めてゐるだけの薄化粧、浮雲が悠然と峰の中腹をよぎりゆく。

　富士宮の町へ着くと、まづは浅間神社に参詣した。七五三の祝にはなやぐ親子づれの好風景を見て、老の身もまた千歳飴を買ひたくなつた。しかし、入歯が飛び出すんで、やめにした。

　みやしろの垣の下を流れる神田川、こりゃすばらしい。もくもくとふくらみ、さわさわと流れる水勢の雄々しさ。まさに、天地正大の気そのものに触れる思ひがする。

●〽富士の白雪やのうえー

教授「富士の白雪は朝日にとける」

熊八「そんなこたあねえ、富士の白雪や、なさけにとけるつってんだ」

教授「ならば、『なさけ』とはいかなる語の合成か、分析してみたまへ」

熊八「おう、べらぼうめ、『なさけ』はなさけだ、ブンセキなんてできるかつてんだよ」

教授「おちつきたまへ。『なさけ』とは『な・さけ』か、『なさ・け』か、はたまた、『な・さ・け』か、それをきいてをる」

熊八「ふざけるな、この野郎。『な・さけ』なら「一ぺいやろう」だ。『なさ・け』なら、…うーん、勝手にしゃあがれ」

教授「それみなさい。ものごとといふものは、気合だけでは動かんのだよ」

熊八「……それでも地球はまはる。やつぱ、気合だよなあ……。」

韓国の敬老はいつまで続くか

（十二月十日）

●韓国にて——

用事でソウルへ来た。南山の東北角にできた大きなホテルに泊る。その西側に、東国大学校がある。朝早くから学生たちが山の斜面に作られた段々コートへ集まつて、球技で体を鍛へてゐる。

私はふと、去年の秋台湾へ行つたとき、台北の中心にある公園で、市民が体操や武技に汗をかきながら心身の健康増進に励んでゐる風景を想ひ出した。ピンと張つた感じだつたが、しかし……

●百済の第三の都になつた扶余へ行く。町全体が目下停電中とあつて、博物館へ入つてはみたものの、暗くてよく見えない。それでもなほ入館者がある。職員が平然として客を睥睨してゐるには頓首々々。王宮のあつた扶蘇山の西麓、旧衙里の北端まで行つて白馬江の岸近くに立つ。江の流れは静かで水面は鏡の如く光り、洲は黄色の砂ばかりで、日本の川にはつきものの砂利が全く無い。この国が白馬の江のやうに静かであれかしと願ふこと切。

●年長者に丁寧なのは韓国人の一長所だ。しかし、この邦の老人たちはそれに安座をかいて少々身勝手が多いやうに思はれる。敬老の美風がいつまで続くか、こりゃ、みものだねえ。日本は年に二三日敬老ならそれでいい。はたしてどちらが現代に適切なのか、老人のはしくれになつた身としては敬老の習慣が固いほど暮しいいが、そのために物事がはかどらんでは困りものよ。そのあたり、韓国人の正念場つてところかな。

ケチの本義、解脱の真諦

（十二月十七日）

●歳の瀬ともなると、やたらに金が忙しくなるのが憂き世のならはし、こりゃ、商売人ばかりぢゃないよ。かく申す貧書生でさへ、いや、貧者なりゃこそ余計、財布の出入りがたてこんでくるのぢゃわい。

これ小判、たつた一晩居てくれろ

どうか皆さん、きぜはしなく死なんでくだされよ、この際、死なれると香奠包んでばつかりゐなくてはならんでなあ。――カール・マルケツ

●金太「おい銀三、ケチつて言葉のわけ、知つてつか」

銀三「なんでまた、あらためて聞くんだ、そんなこと」

金太「知らねえんだらう。知らざあ、教へて、やらうわい。ケチはな、禅坊主が発明したケンチャン汁のことなんだ。あれ、中味は人参、大根にゴンボウばつかしで、かしはも魚もぬきつてやつだよ。だからケチな汁、弾みをつけてケンチャン汁つてわけさ」

銀三「ばかこけ。ケチとはな、結《ケチ》なんだ。四方に垣を結つて、受戒中の坊主を外へ出さねえやうにする誘惑禁制の聖域、これなん結界とは申すなりだ。それが、いつのまにやら坊主と銭が入れ替つちまつたんだ、わかつたか」

金太「ふうん、うめえことをぬかしやぁがる。するつてえと、※ＫＤＤとやらみてえに、やたら外国の品を密輸入して政官界にばらまいてゐる、ああいふ連中のこと、なあんて言ふんだ」

銀三「結の反対だから解、税金納めねえから脱、これなん解脱の真諦なり…ああ、ホンマカソーカー」。

※ＫＤＤ　国際電信電話株式会社（十月二日。成田空港でＫＤＤ社員の装身具不正持込み判明。会社ぐるみの組織的密輸とされた）。

三州一等瓦が聞いてあきれる

（十二月二十四日）

●拙宅の屋根瓦がペリペリ割れて、破片が庭先に落ちてゐることがしばしばあるのを気に病んだ女房どん、屋根屋を呼んで調べてもらふと、驚いたなあ、瓦を全部とりかへなければいけないですとのご託宣、その証拠として何枚かの写真をつきつけられた。見ればなあるほど、いたみ方はひどい。

　たつた二十年しか経つてゐないのにと、女房どんの歎きは深い。あの瓦、三州一等なんて書いてあつた。なにが三州一等だい。しかし、よく考へてみると二十年前の日本は戦後復興の進行が急ピッチになりはじめた時期で、建材の質もまだまだの段階であつたわけだ、とめがねに銅でなく鉄釘を使つたことも瓦の破損を酷くした原因の一つだ。鉄がさび、ふくらんで、瓦を内側からこはし始めたのだ。

　家屋はもう、不動産ではない。単なる耐久消費財で、減価率の高い動産にすぎん。変はつたなあ、世の中は。

●わが家では初めて買つたテレヴィを十七年間使用し、今は二台め、冷蔵庫は二十年使つてやつと二台め、三台目は洗濯機とトースターにアイロンぐらゐなもんだ。物は使ひやうで、可愛がればながもちするといふことこのぐらゐ大切な教訓はない。

●国家つてものもさうで、不動産なのか消費財なのか、わからなくなつてきた。わが家の瓦みたいに、内側からボリボリ喰はれては崩れるにきまつてるよ。危なつかしいねえ。「八〇年代の展望」なんて、そんなことどうだつていい、やめとけ。

昭和五十五年

徳利と銚子

（一月十四日）

●世の移り変はりといふものは胸に手を当てて考へてみると、よくせき不思議なもんだねえ。正月の祝ひ酒にとろりとなつて、すべすべする徳利の温《ぬく》い腰をさすりながら、つくづくさう思ふんだ。覆水、盆にかへらずか。——ドン・クィホーテ居士

●この徳利だつてさうだ。いまは人があんまり徳利とは言はず、おしなべて銚子と呼ぶ。本当は形が違ふんだがなあ。

　大昔、ヤマトでは瓢箪に酒をつめた。それを傾けて酒を注ぐとき、トックリ、トックリと音が出るんで、擬音語トックリが生まれ、好字を当てて徳利と呼んだ。その瓢箪を二つ割りにすると柄杓になるので「ひさご」といふ。丸身が酒壷、片身が酒注きとはうまい。

　土器が発達すると、立ち形の瓶子が神酒容器になる。それが一般にも行きわたつて、湯に入れて酒を温める燗徳利、細身の貧乏徳利なんてのが親しまれた。明治になつてから、どうしたはづみか、徳利の名がすたれて、銚子に変はつてきた。きつと、薩長が幅を利かす世のはやり、西国ではよく使はれてゐた平形の銚子が徳利つてえ名前を追つぱらつちまつたんだらう。かうなりゃ意地でも徳利で押し通さざあ、なんめえ。

——江戸つ子

●銚子にその名を奪はれた現代の徳利はいやになで肩で、気に入らん。鷹のやうにいかり肩でなくては男児が手にする値ひせん。いまはみんな鷺か鵜みたいだ。正気の歌を聞く酔郷の門へは猛禽の羽ばたきなくては到達できぬものなるぞ。

—藤田東湖先生

ジョイ・アダムスを食つたは人間

（一月二十一日）

●女ターザンのジョイ・アダムソンおばさんが、事もあらうにライオンに食ひ殺されたと。正月早々、まづい出来事だつたよなあ。冥福を祈る。これは一月六日朝刊の話。

　新聞によると、野牛を追つかけてゐるライオンを観察しようとして近づいて行つたジョイおばさんに、いきなり向きを変へたライオンが飛びかかつたのだといふ。最良の友人たるおばさんをガブリとはひどいライオンめ。とはいふけれど、ライオンにしてみりゃあ、あたりまへだつたのかもしれんて。猛獣つてものは、腹ペコのときか、不安を感じたときに牙をむくんだ。獲物か敵か、二つに一つだ。女ターザンは猛獣の行動原理によつて死を宣告されたのだ。人間側の彼に対する愛情なんてものはどだい通用しない。所詮、猛獣は猛獣。

　ところが翌日の夕刊からガラリようすが一転、ホシはライオンぢゃあなく人間らしいとのこと。あてにならないねえ、新聞てものは。

●人間は猛獣だ。例の白熊ソヴィエト・ロシア、この大熊は激流の中にデンと構へて、鮭をねらふ。東欧を前足で抑へつけ、アフリカを舌でなめづり、わが北方領土をひと飲みにし、ベトナムに爪をかけ、アフガニスタンに牙を立てた。隣りの大虎人民中国には小当りしたが、からだがでつかいばかりか、かさこそとよく動くんで、こいつあ後廻しだ。ピューマのアメリカは気が気ぢゃない。高い岩からどこへ飛びつかうかとねらつてゐる。ああ猛獣！

小田原も内通で落城――陸将補スパイ事件

（二月四日）

●またスパイ騒ぎだ。ついこなひだ、北海道の漁師がソ連の官憲に情報を流して、その見返りに占領海域でのカニ漁をさせてもらつてゐたとかで捕まつてゐる。さてはそれが前触れであつたか。今度は中央も中央、防衛庁に手入れ。主犯が退役陸将補といやあ、昔の少将閣下だ。しかし、よく考へてみれば、これ、スパイ作戦の本道である。歎かはしいが、驚くには当たらん。責任者が「前代未聞」なんて間のぬけたこと言つてたんでは始まらんな。

　国防機関の中枢部に網が張れれば敵方としては申し分がない。ねらひをつけるのは、幼年学校から陸士へと純粋培養されて、自分でもそのことを誇りにしてゐるやうな世間知らずの人間である。刀にたとへれば、細身の直刀で、切れ味は抜群だが、折れ易い。これを手折りの花にしてこき使ふと、折れ刀は役に立つんだ。フリチン日本、股間に木枯が吹きぬけるわい。

●関八州に覇権をとなへること五代の北条氏、あの本拠小田原城が落ちたのは城内から内通者が出たからだ。難攻不落の大坂城だつてさうだよ。およそ内通には宮永幸久（元陸将補）みたいな単独の忍者式のものと、大坂城でおこつたやうな部隊ぐるみの内乱式の二種類がある。敵はこの両方をうまく組合せて攻略の魔の手を延ばしてくるのだ。こんなことは軍事学のイロハなんであつて、チリヌルでもユメミシでもないぞ。わが親愛なる治安当局はみんなよく訓練されてゐる。これからが大事なんだから、頼むぞよ。

実生活に即した言葉を遣へ——日教組へ

（二月十一日）

●二月十一日は「建国記念の日」。岐阜では民間諸団体が合同で式典を挙行し、教育基本法の改正について一声を放つ。この法律では教育の淵源も本義もわからないから、正しい国語で具体的に法文を書き改めるやう、立法の府に対して要請しようといふ趣旨である。大いに結構。願はくばこの運動が全国で盛りあがらんことを。

●さて想ひ起こすは先月の末、土佐の高知で開かれた日教組の教育研究全国集会、「一万人」を集めて四日間の討議、その閉会のアッピールにいはく。

「人間が人間であらうとする限り、求め続ける教育の偉大な力を取り戻さう」と。なあんだいこりゃあ。チンプン、カンプンさつぱりわからんぢゃないか。これ、誰が誰に向かつて、何をさせようと言つてるのだね。とかく教師には実生活に即した言葉でものを言つたり書いたりするのをなにやら知らんが低級だと勘違ひしてゐる傾向がある。思想のまづしい者ほど此の悪臭が強い。教師たるもの、それを病気と自覚して治療にはげむのが先決。よつて、右の駄文に朱筆を加ふること左の如し。

「禄でなしでも真人間になろうとしてゐる。ましてや教師たるものは、その同類として、真の教育の偉大な力を仰ぎつつ、自ら研鑽につとめようではないか。」

前の文と比べてみな。どつちがほんまもんか判るはずだ。「取り戻さう」なんて、その腹は「権力に奪はれた」とか何とか入れたいところだらう、根性がねぢけてらあね。

すし屋の暖簾を書く

●寝間の濡縁に、赤紫の沈丁花が二つ三つ、ふくらんでゐる。そのそばの紅梅と色くらべをしてゐると、雪が降つてきて花を包み、紅白のとりあはせがなんともいへず美しい。

書斎の窓外は東側に松、南側に杉、そびえ立つてゐると書きたいところだが、嘘はつけん。やせほそつたヒョロ松とヒョロ杉だ。この二十年間、ちつとも大きくならんのである。このオヒョロが雪をかぶつて撓む風情は此の家のあるじにさも似たり。

蛍の光、窓の雪、ふみ読む月日かさねつつ、いつしか知恵も尽きの戸を、開けてぞ「お茶あ」と呼ぶ老書生かな。

●某大学前、寿司屋の兄さん、学生の卒業にあやかつてか、はたまた人生の一転機と観じたるにや、埼玉に新店を出すといふ。店の名は一武蔵。電話番号も一六三四だとはねえ、乙ぢゃあないか。「大いにやつてくれ、こちらは、一武蔵ならぬ禄無斎だ」と、盃を上げた途端になんと、「暖簾を二枚、書いてくださいよ」ときた。猪口才なことにかけては人後に落ちない老書生、得たりや応と安請合、「ひとつ、生きのいいとこ筆をにぎるか」と引受けたりや、引受けし。はて、どんな代物が店先にぶるさがるか、こいつあ、みものだねえ。卒業にしても、見世開きにしても、萌え立つ春先にやつたがええ。ニャーニャー騒ぐのは猫ばつかしではやりきれんもんな。ついでのこと、国も春にあやかつて、大いに張つてもらひたい。ここんとこ、日本は炬燵にはまり過ぎて、ちと、ぼんやりしてゐるからな。

（三月三日）

つけさげの意味

（七月三日）

●親戚の青年が母親と同道で大学卒業の挨拶に来た。京都の自宅を早立ちしたその母親はうぐひす色の訪問着、息子は新調の背広にそれぞれ身を固めて現れ、土産品として、灘のもろみ一升と京の名菓を差し出した。当方はこれに対し、老生が金一封、妻が銀のネクタイ止めを贈り、ワインの祝盃をあげる。就職先もきまつてゐることとて、母子ともに浮き浮きしてゐた。小宅をはじめとし、その日の中に山梨県の親戚を訪問して帰京、一泊の後、神奈川県の親戚へも行くのだといふ。おかたいことですな。格式にはまつてゐて、気持がいい。

　青年はネクタイ止めを着けてみた。老生ひょいと彼の胸をみると、なんと、裏金具の方を表にしてゐるではないか。生まれて初めてだ、むりもない。それに、質朴でいいやね。

●翌朝、食卓での夫婦の対話。

妻「訪問着とはていねいでしたね。つけさげ※でも、小紋でもよかつたのに。」

夫「そんなものかね。ところでつけさげの語義やいかに。」

妻「語義なんぞ知りませんよッ。」

夫〈頭の中で〉「何を付けてぶらさげるんだらうな、羽織のひもみたいな名だよ、これは」

妻「ずつと前のことでしたが、妹がお正月に実家へ行くとき、大島を着ようかしらと言ふのでやめさせました。いくら値段が高くつても、大島はよそゆきぢゃありませんからね。」

夫「そんなものかね。」

〈夫、ひそかに新潮国語辞典をめくる。つけさげ無し。はてね。〉

※つけさげ—語義を知らず。実物は肩山を頂点に、総ての文様が上向に染め出されてゐる衣服で、訪問着より格が下る、格の高い帯を締めれば訪問着に準してよい。

人間をゴミにする民主主義

（四月十五日）

●八五郎「先生、どうですい花見としゃれこみやせんか、上野か、どつか」

先生「さうだな、よからう。だがな、上野、飛鳥山、ことごとくペケ」

八「ぢゃ、どこへ」

先生「静かな屋敷町の道がいい。いつだつたか、若い友人と二人で田園調布をあてもなく歩いた。あちこちの邸宅の垣根越しに桜の老樹が見え、満開の花は見事だつた。道端にも花がある。右に、左にこれを愛でつつゆつたり歩く。歩き疲れたら、駅前のそば屋へのたりこみ、ざるそばで一杯とくる、これがまた乙なのだよ、それでもいいなら、つれにならう」

八「ご免こうむりやす、チェツ、くそおもしろくもねえ。おう、熊、先生ぬきで行かうや、な」

●上野の山に赤ゲットを敷いて酒盛りの熊と八、ゴミを排泄しながら、それに埋まつてアラエッサッサー。だから、こいつらもゴミの一種なのである。古語にいはく、群衆はゴミである―

●先生ひるねの寝言。

ムニャムニャ、敗戦民主主義は人間ゴミ化のためのゴミオロギーである。したがつて、それは人間の尊厳をうたひあげてゐる日本国憲法に違反する、訴訟を起さねばならん。違憲訴訟をすれば必ず勝たしてくれる裁判所はどこかなあ。ゴミオロギーのたれ流しによる被害補償は幾らに見積ればよいか、ムニャムニャ

憲法を床の間に飾つても楽しくない——端午節句

（五月五日）

●去年七月一日に生まれた孫の航《わたる》に、母親の里方祖父母として端午節句の飾り兜を贈ることにした。夫婦そろつて行きつけの百貨店へ行つてみる。いやあ、あるわ、あるわ、キラキラした甲冑、陣太刀、矢立(屛風)、鯉幟……

妻「あら、こなひだ下見をしたとき、あれにしようかと半分きめてゐた上杉謙信のカブト、もうありませんね、どうしませう」

夫「買ひ時はづれになつたんだよ、おそいやね」

女店員「こちらの織田信長はいかがです」

夫「だめだね、織田の家紋が付いてゐるから。信長の隣りの景清、これはどうだ、悪七兵衛だ、強いぞ」

妻「いやだわ、悪七兵衛だなんて、名前がいけません」

てなことで、無名の赤糸おどし、細身の鍬形打つたる兜を求めて帰り、まづ飾りつけ、その前で一盃ときた。包みのまま呉れてやつちまふなあ、ちと惜しうござるて。

一冑作の此の御兜、つくづく見てあれば、なかなかの逸作。だけど、ああも店頭に英雄豪傑がどたばた並んじまつちゃあ、なんだか安つぽい感じだ。とかく今の世は安つぽい。とかなんとかブツブツ言ひながらも、孫の兜はいい肴だよ。

●端午節句の楽しさに比べると、二日前の憲法記念日、ありゃもう昼寝をするだけのもんだね。憲法を床の間に飾つたつて、楽しくもくそもない。そりゃさうだらう。あの憲法にゃあ、英雄も豪傑も出る幕がないボロ糸をどしだでな。

エンプラ騒ぎは人工恐怖——竹山道雄邸

（五月二十六日）

●鎌倉に住む竹山道雄さんを訪ねた。別にとりたてて用件なんぞない。十七年ほど前か、まだ新幹線が開通しない時分、特急かもめの食堂車で偶然合席になつた際の話柄を想ひ出し、その続きを聞かうと、拙著一冊を小脇に抱へて推参し、贈呈した。曽我の仇討もどきにどえらく間延びした話だが、書生とは所詮、そんなものさ。長生きすらあね。

●陰影のある古風な座敷の縁側でお茶をよばれた。竹山さんは昭和精神史の怪しさについて語り、訥々延々として尽くるところを知らない。人気ない邸内、やへむぐら茂る中庭、塀の上からこつちを見つめてゐた野良猫が草むらに飛び降りたときに、バサッと音がしただけである。

●二日後、女房が古新聞をひつぱりだして私に見せた。読売の八年前の四月二十二日号、文化欄だ。コラム「乗りもの紳士録」に、阿川弘之が原潜エンタープライズ佐世保入港反対騒動をとりあげて、竹山さんが新聞の問に答へた「エンプラ騒ぎは人工恐怖、少しをかしい」といふ発言を引き、「少し」どころか、「はなはだ」をかしいと強調してゐる。同感。

　マスコミは、それつきり、竹山さんの門をたたかなくなつたとか。だうりで、邸内外の森閑たること、さながら禅院のごとしだ。折しも東大原子核研究所のミスによる核汚染事故と称するものが大々的に報道された。人工的恐怖はつのる一方だ。それに逆比例して竹山邸はいよいよ門前雀羅を張るに至るは必定。げに鎌倉は楽しかりき。

宮本共産党首は「神の声」と叫んだ

（六月二日）

●去る五月十七日の夕、夫婦はＮＨＫ七時のニユースを聞いてゐた。※内閣不信任案を否決の予定で上程したら可決されてしまつたんで大騒ぎ。野党各党首は間髪をいれず盛り場へ打つて出ての※デモステネス。宮本共産党首は獅子吼した。

「不信任案の通過は、神の声だ、天の声だあ」

これを聞くや、夫婦はビックリ、直ちにメモしといた。ところが翌朝、東京新聞を開いてみると、「神の声」ではなく、「国民の怒り、国民の声、天の声」と書いてある。はあてね。こりゃわが耳が耄碌したか、と思つて他所で朝日新聞を見ると、これにも「国民の声、天の声」とあつて、「天の声」は確かに共通だが、「神の声」とは書いてない。いよいよ耄碌は確かになつたか。

●夫「神の声は聞き違へかなあ。すぐメモしたんだけれど」

妻「いいえ。妾も神と聞きとりましたよ」

夫「民の声を神の声と聞き誤まつたのかなあ」

妻「そうでせうか。でもねえ。二人とも神と聞いたんだから、変ねえ」

●共産党の大将が神なんて叫ぶわけは本来なら絶無のはずだが、なにしろプロレタリヤ独裁が民主集中制に変はつたり、人民が国民に変はつたり、革命といふ大目標が革新の中へまぎれこんでしまつたりしてゐる当節の共産党だ、神だつて現はれ給うてもをかしかあないだらう。それとも、新聞記者には神を国民と訂正したメモでも渡したのかいな。奇態だねえ。

※五月十六日　自民党非主流派の欠席で可決。

※デモステネス――古代ローマの雄弁家

のろひ談義――奈良の都の人形

（六月十六日）

●奈良の都の跡から、「のろひの人形《ひとかた》」が出てきたといふ。場所は平城京二条大路北側（奈良市佐紀町）の溝の地下三尺あまり、長さ四寸五分の幅七分五厘、いとも小さな薄板を人間の姿に削り、顔を描き、裏に重病受死と墨書されてゐる。おお、こはや、こはや。

佐紀町といへば、瓢箪山古墳のある平城京西北端部で大内裏（皇居）のそばだ。住んでゐたのは上級貴族、うへつがたの殿邸が並んでゐたところだと思はれ、裏手の佐紀山を通る歌姫越といふのが往昔の奈良山越の主要路だつたとみられてゐる。

大邸宅の奥の院で、暗夜ひそかに人形をハッタとにらみ、病死ののろひをかけてゐる人間の形相、さぞやすさまじくありつらん。こんなことをするのは女かな。

●熊「先生、のろひなんて、ききめがありやすかね」

先生「そりゃ、あるわさ。〝のる〟といふのはな、自分のことばをわが胸の奥へ入れこむ必死のおこなひだ。念力は存在する」

八「ぢゃあ、※大平さんの強心症、あれもそのう、〝入れこみ〟にかかつたつてわけですかい」

先生「違ふ、ちがふ。およそ、ことばには〝のる〟とは別に〝かたる〟といふやりかたがある。〝かたる〟は外に向けてはきだすことばだから、つやも付かうし、うそもまじる。政界は〝かたる〟方だ。かういふ世界には〝のろひ〟の掛合は存在せんよ」

熊・八「さうかあ、まあ、いいやね、〝のろひ〟つくらよか、〝かたり〟つくらの方が罪は軽いからな」

※六月十二日　大平正芳首相急逝

最高裁判所判事国民審査権は猫に小判

（七月七日）

●ああ、やつと選挙が終はつた。投票の日、夫婦はうちそろつて近所の小学校へ行き、型の如く役目を果たしたあと、行きつけの団寿司へしけこんで、感慨にふける。女房は当店自慢の「いかさうめん」をうまさうにすすりこみ、小生は徳利を傾ける。

　走馬燈のやうに明滅輪転する雑多な思ひ、その中にひとときは奇妙な姿をみせるのは、最高裁判所裁判官の国民審査といふ、世にもケテレツな制度である。事前に配られた公報を見たとき、夫婦が名前を知つてゐた判事は四人中たつたの一人、しかも、四人とも判で捺したやうに、次のごとくのたまふ。

「最高裁判所判事に就任してまだ日が浅いので、特に記すべきものはない」

なあんだ、これぢゃあ、審査のしやうが無いぢゃないか。あとは、信条、主な著書、おまけとして趣味、なんて項目があるが、いづれも審査の参考にならない。趣味まで書くんなら、ついでのこと、食ひ物の好き嫌ひや、金銭慾の濃淡や、夫婦仲の良し悪しや、持病の有無や女ぐせや、酒癖まで書き並べてほしいもんだ。ううん、待てよ、食ひ物以下の項目は国会議員にもあてはまるなあ。

●公報にせよ、演説にせよ、ありゃ、みんな見聞きするに堪へん。食ひ物以下の項目をテレビで放送させる、さうすりゃあ、およそどんな人間だか見当が付かあね。人間の見当がつけば、そのう、政策とかいふやつもおのづからわかつてくるつてもんさ。ウフ、うふ。

妻「少し、おすし、おあがんなさいよ」

渡辺崋山を死に追ひやつた世間の罪

（七月十四日）

●思ふところあつて、三河の田原へ杖を曳いた。いはずと知れた渡辺崋山自刃の地だ。崋山先生は国の守りを憂へて慎機論といふ慨世の論文を書いた。誰れにも見せる積りのない原稿であつたが、家族と食事中に来訪した知人が客間で主人を待つあひだに、机上に置いたそれをのぞいて世間に知れ、幕政批判の著作をしたとて検挙され、家宅捜索を受けて、あはや死刑になるかと危ぶまれたが、師友の奔走でいのちを救はれ、帰藩蟄居の身となつた。

　しかし、弟子の福田半香が師の崋山のために開いた画会が公儀をはばからぬ催しだといふ声をあげる者が出た。それを知つた崋山は主君に累が及ぶのを苦にし、幽居の納屋で割腹して果てたのである。ああ、なんといふ悲惨事か。

●幽居は巴江城の西端、池の原の小高い茂みの中にある。此処は崋山が藩の困窮をなんとかしようとして招いた農政学者の大蔵永常が住んだことのある粗末な公舎だ。小雨の中に佇立瞑目くびうなだれて、しばし動かず。崋山を罪に落とす悪いうはさを立てた奴、画会にケチをつけて権力にごまする奴、これが憂国慨世の志士にして稀世の芸術家たる一人の武士を自刃に追ひやつてしまつたのだ。奴等は毒虫である。しかも、こんな害虫が流す無責任なゴシップや陰口は存外、深刻な影響を及ぼしとんでもない悲劇を生みだすものだ。現代また同じ。いや、現代は渡邊登を生んだ江戸時代よりもひどい破廉恥社会だ。ああ、毒虫と害虫が食ひ合ふ世の中を厭ふは愚者のたはごとなりか。

国際婦人会議の報道姿勢は女性蔑視の標本

（七月二十八日）

●北欧はデンマークのコペンハーゲン郊外なるベラセンターで、国連婦人会議始まる。集まるところの面々は、百四十ケ国政府の代表およそ一千。その開会式の模様を伝へる共同通信の記事たるや、報道の域をいささか越えた美文調、にやけとる。

「外に野の花の咲き乱れるガラス張りのセンター」だとか、代表たちの「民族衣装も鮮かな彩りで」とか、リーセ・オスタゴー文化相が「さつぱりした身なりで議長席を占めてゐる」だの、マルグレーテ二世女王が「レースをあしらつた白い帽子に濃いブルーの薄手のコート姿で演壇に立つ」なんて、ファッションショウぢゃああるまいし、婦人会議を揶揄嘲弄するにも似た文なりといふべし。かくの如き軽薄なるデクノボウ記者はよろしく退場を命じ、小股の切れあがつた諷爽たる婦人記者と交替さすべきである。エッヘン。

●ヨルゲンセン首相が「わが国では男女が結婚せずに、ともに暮すスタイルが一層一般化してきた」と演説するや、会場からはひそかな笑ひがおこつたとか。なあにが可笑しい。わが国ではこれを法的には内縁関係と言ひ、人間的には情人関係と呼ぶ。この関係は多くの場合、女が泣くやうなゴタゴタの原因をなし、はては殺人事件にまでなること珍しからず、未婚の母の出現に至つては子孫までが巻添へをくらふのだ。それを笑ふやうぢゃあ、女もまだまだ。ゴッホン。

●時に天に声あり。「其方こそ揶揄嘲弄を事とする不埒な悪口屋、追放ぢゃ。」われ、筆を投じて去る。

東京ジャンボリーを非難する「憲法を守る会」の愚劣（八月十一日）

●ああ、なさけなや、なさけなや。群馬県の相馬ヶ原演習場で開かれるボーイスカウトの大会（第一回東京ジャンボリー）に、お定まり「憲法を守る会」といふ闘争集団が「軍国主義教育だ」とイチャモンをつけて、行事は大幅に変更の余儀なきに至る。なあんのこつたい。

「戦車を知らう」、「自衛隊員と語る夕べ」、浩宮さまの御出席とおことば、みんなオジャンになつちまつたとか。正常な精神状態の者にはたうてい理解のできないこの成り行き。はて、面妖な、いぶかしやなあ。

●本来、ボーイスカウトとは、乃木将軍と肝膽相照らしたイギリスの軍人ベーデン・パウエル卿が創立したもので、各自の信仰を重んじ、日本武士道の誠忠と勇武、礼譲と節制、訓練と実行を少年の身につけさせる教育組織である。老生はいまの学校教育など問題にならないくらゐ、よい教育機関だと信じてゐるんだ。今度の計画だつて、ボーイスカウト東京連盟は慎重に案を練つて、これでゆかうと準備万端ととのへたのに違ひない。それがだ。異常な脳味噌の集団から因縁つけられて、あへなくスケジュールをつぶす、そんなことつてあるかい。

●防衛費の「政治的」増額などで、「日本軍国主義化」の声のボルテイジを上げようと、やつきになつてネジを巻いてゐる一連の異常脳味噌グループがゐる。お前さんら、かの暴走族の乱行が目に入らんのか。若者の爆発力に秩序をもたらし、その力を正しい方向に導くのには、「戦車を知らう」など、一番良い行事なんだ。チョッ。

反戦情感風化を歎くのは演技

（九月七日）

●九月になつて八月をふりかへる。今年の真夏は天候が奇妙によぢれてしまつて、大汗かいたのはせいぜい、二日か三日、流れ出る予定の汗が体内に籠つて残暑を待ち佗びてるつて寸法だ。

　天候のよぢれもさることながら、終戦記念日前後の世間もなんだか乱気流ふくみだつたなあ。新聞の投書欄ではさかんに若いもんの「大戦争知らないよ」説と、中老年の「戦争情感風化の歎き」を拾ひあげてゐたつけ。三十五年も経過すれば、こりやあ知らぬも風化も当然のことで、良いの悪いのの問題ぢゃない。それを歎けといつてみたところで、実感の湧かないことにむきになる者は無い。同じ中老年でも「歎き」の擬態をヒラヒラさせ、演技に凝る向きがまだ相当ゐるが、こんなのこそ、若いもんに見破られる大偽物なんだ。胸に手を当てて反省せよ。

●歴史つてものは、知らなければゼロ、知るためには知性が情緒に優先する。知性と情緒が筆に沁みこんで文章となる。文章は不滅だ。しかしこれを大衆に求めちゃあいかん。

●敗戦以来、日本は擬態と演技の国になりさがつてしまつた。多くのこと、多くの人が「かのごとく」であり、その方が真物扱ひされてゐる。民衆はそれに酔つぱらひ、喜怒哀楽する。なんといふフィクション世界であらうか。昔、高校生のころ、われわれの仲間ではドイツ語のデム・エーンリヒ（かの如き）が嘲りの隠語として流行した。ま、さう言ふこの俺だつてデム・エーンリヒだがね。厳格に言へば。

当用漢字表には「饑」も「饉」も無い

（九月二十九日）

●今年は稲に山背の風が吹きつけて、奥羽地方の太平洋沿岸一帯はもろに痛めつけられたやうだ。青立ち、しいな（粃）の目立つ水田の姿は見るも無残だ。昔なら、饑饉の襲来にをののくところだが、農地解放以来三十五年、事情はガラリ一変して、当用漢字表には饑も饉もござらぬわ。

　被害農家は彼の複雑にして怪奇なる農政のよつて生ずるところ、手厚い救援の手が延びてくること必定と見越してゐるであらうし、六五〇万トンの滞蔵米を抱へてフウフウ息切れしてゐる政府はひそかに北叟笑んでゐるやもしれん。貧農文学の元祖山上憶良が再来したら歌境を見失つて筆を投げるしかあるまいて。

●小生、兵隊のとき、農家に下宿してつぶさに農民の意識を観察した。町では二合一勺の配給制に腹ペコで、よく米麦の闇買に来た。村の連中は口々に、「町の奴ら、百姓をバカにしてきやがつたんだ。食ひ物無いのはいい気味だ。うんと吹つかけて大事なもんを召し上げてやれ」とわめき散らす。下宿のをばさんは反対だつた。「町の衆をそんなにいぢめるもんでない。またあの人たちの世話になる時も来よう」と言つて、惜しがりもせず米麦を分けてやつてゐた。以来、この一家とは親類付合を続けてゐる。人生、もちつ、もたれつだよなあ。

●戦時中の町と農村の冷たい関係、今は産油国と石油消費国の間に存在してゐる。オペック村の衆がサウジをばさんに原油の減産と価格の引上を迫り、をばさんはなかなか合点しない。どうなることやら。

医療界こぞつて精神の病院に入れ——富士見病院事件所見（十月六日）

●今は昔、チョンマゲ時代の話。遠州に若い医者が住んでゐた。患家へ往診する道すがら、三方原を行くのは恐ろしいとたぢろぐ駕籠屋に医者は中から声を励まし、「心配するな、追剝が出たらこれだ」と叱咤する。駕籠屋が垂れを上げて見ると、医者は抜き放つた白刃をお不動さんのやうに真直に立ててゐたといふ。

　このお医者、いつもふところに手を入れてゐるので、一見だらしないみたいだつた。わけを聞くと、患者の脈をとる手を冷やしてはならないからだと答へたと。心得ありといふべきか。

●その従兄がまたまじめな医者であつた。「医者は患者千人殺さねば一人前でない」との格言を奉じて診療に励み、患者四万余人を扱つたが、千人余りは格言にいふ如く薬石効なく死亡した。彼は菩提寺の境内に三省塚と刻んだ大きな石碑を建立し、また、死亡患者に対する診断、処方、症状の変化を丹念に書き留めて冊を重ねること四、さらに一冊を加へて正続三省録五巻を子孫に遺した。子孫はこの精神を継承して、明治以来、多くの良医、名医を世に送り出したのである。

●医術の進歩いまや昔日に比類なく、病院、医院はその数を知らず、だのに病気の方も奇病難病こもごも起こつて病苦に喘ぐ人間もまた無数、保険制度、病院経営、医師、看護婦、付添人、製薬会社、医療機器商、医科大学のことごとくが大渦巻の中でアップ、アップ。医療関係全体がいまや精神の病に罹つて重態だ。昔の良医に治療を受けねばいかん。※富士見病院事件所感。

※九月十一日、埼玉県所沢市の芙蓉会富士見病院における無免許診療、（乱診乱療）事件

旧制高校よいとこ

（十月二十七日）

●都も遠き津軽野に、旧制弘前高等学校創立六十周年記念祭開かる。四方から馳せ参ずる卒業生数百人、ねぶた祭りの巨大な太鼓を先頭に、昔を偲ぶ街頭ストーム。沿道の市民は拍手を送る。式典には曾てのやんちゃどもがお世話になつた人々を招待、下宿の名物をばさん、何十年も代金を催促しなかつた本屋のむすこさん、キャビネ焼増一枚を七銭で頒けてくれた写真館の上品なご隠居、お菓子屋さん、粋な※アルト・ジンゲルこと旧制芸妓のばあさんたち、ずらりと壇上に並ばせられて謝辞を受ける光景の良さ。

　大正六年、本校を弘前へ誘致する第一声を放つた長尾市長以来の伝統を継いだ現市長はこの記念祭を全面応援。高校生と市民との心のきづなは今も切れない。うるはしや北溟の人情。

―参列友校同窓会代表―

●片や信州大学。これは旧制松本高等学校を母体として生まれた新制大学だが、寮の移転をめぐつて大学、寮生、市民の三巴冷戦が続いてゐる。新寮周辺の市民は学生の来るのを拒み、大学は移転促進にあせり、旧寮舎の営繕はとうに打ち切つてゐるから荒れ放題だ。寮生は屋内の蜘蛛の巣だらけに辟易しながらも籠城の構へ、と言やあ、勇ましいみたいだが、そりや大違ひ、蜘蛛の巣がいやなら自分等で払へば少しは気持も良くならうのに、それもしないで文句ばかりこいてるんだから、そのあまつたれにゃ、つける薬もない。大学と市民と寮生の荒んだ冷たいいがみあひ、こんなこたあ、旧制松本高校時代には絶無のことだつたらう。その寮歌にいふ。「光をこふる虫の声、一息毎に巡り行く、あはれ寒し村時雨、落葉の心人知るや」―友校の一人―

※ Alt（老齢の〈独〉）Singer（歌手〈独〉）

東と西は物事が逆

●韓中才、呼廷、焦凱作曲の舞踊劇※「シルクロードの花吹雪」をＮＨＫテレビに観る。良かつた。実演のフィルムを適当に削つてあるに違ひないが、それでも、勉強になつた。

　敦煌石窟寺院の大壁画、その中に描かれてゐる伎芸天女の姿態をことごとく研究し、千年前の静止した画像を現世のムーヴィにしようというふたくましい試みが此の花吹雪だ。賀燕雲の扮する英娘は、その父親で壁画の筆を執り続ける神筆の張（仲明華）を励まし舞ひ上げる。その姿が美しい。

●英娘は螺鈿琵琶を奏でる。それがまた、ヴァイオリン式に胴をあごへ、棹を下へ向ける形をとるのが珍しい。壁画には又、琵琶を背にかつぐ姿が描かれてゐるので、英娘はそれと同じ姿勢もとる。いよいよ珍しい。それを観ながら老生ふと疑念を抱いた。あれほど唐の文化にあこがれた奈良の貴公子たちがどうして此の琵琶舞をとりこまなんだのであらうか。それとも、とりいれはしたが滅びたのかいな。いやいや、そんなはずはない……切りがないから止めとこ。

●ところでだ。琵琶をさかさにすることで思ふんだがね。東と西はどうも物事が逆になるなあ。鋸、鉋の扱ひ方が逆、札束の勘定や本のページのめくり方がさう。まさか西洋人の心臓は右にある。なんてこたあるまいが。かうも逆なら思想も逆の方がいいんぢゃあるまいか。無我夢中で西欧文化を取り込んどいて、やがて日本人向きに改造するよりは能率が上がるんぢゃなからうか。秋の夜長のひとくさり。

（十一月三日）

※原題「経路花雨」

カルロス国王はコカコーラがお好き

（十一月十日）

●カルロス・スペイン国王御夫妻が菊香る日本を訪問なされた。折しも明治神宮御鎮座六十年大祭が代々木の森で行はれ、全国の崇敬者は陸続と上京し、明治天皇の盛徳を偲びたてまつる。

●カルロス国王といへば、思ひ出すなあ。小生がスペインへ行つたのはまだフランコ時代であつた。フランコ将軍はすでに老いて病床にあり、後のスペインを継ぐ人として定まつてゐたカルロス殿下のうはさが時々耳に入つたもんだ。そのうはさの一つ。

大手のビール会社が新装成れる工場の開業式に主賓として殿下を迎へた。式典は型の如く済み、宴に入る。勿論、ビールが注がれる。すると殿下は、「コカコーラ無いかね」と仰せ出され、一座は白けて、あんぐりこいたとさ。これ、アイロニーなのか、はたまたユーモアなりや、評者、黙して語らず。因みに、小生はドライシェリーばかりだつたよ。

●天皇皇后両陛下との御会見をテレビで見る。国王は日本の伝統が近代化の中でよく保たれてゐることを讃へ、陛下はスペインがインフレに苦しむ時に王位に即き、これを治定することに努力せられたカルロス王をねぎらひ給ふ。その間、天皇皇后両陛下と王妃は楽しさうに大笑してをられるのに、王ひとり岩石然として頬のほころびを見ず。はあてね。

●小生バルセロナに滞在中、古町のマークイース・ド・リオ家なるピカソ美術館を訪ひ、コロンブスの子孫を名乗る元海軍少佐の館長と会ふ。別れに臨み、館長は「テンノウ」と叫んで手を振つた。拙これにこたへ、「スペイン万歳」

秋の富岡八幡あたり

（十一月十七日）

●女房どん、東京に四十年以上も住んでゐながら、世田谷の在方では元のお江戸を知るよしもなし。わけても銀座通りから東、海へかけての所案内は皆無といつたくやしさに、「下町へ行きたあい、下町を歩いてみたあい」と常日頃。

「よしきた来い」とばつかりに、朝方から家を出る。晩秋の乾いた青空、ビューと吹く北風、枯葉がキリキリ舞をして路の上をサササアッとすつ飛んでゆく。

●尾張町から築地の七丁、左へ折れて明石町、抜けて佃の大橋は、風に押されて打渡る。佃の島は住吉の、神の社頭でポンポンと、鳴らす両手は日本丸、航《ゆ》く方《て》の泰くあれかしと、祈る誠の老夫婦。

石川島を左手に、相生橋にさしかかる。たもとに巡査の唯一人、ハッタとこつちをにらんだり。怪しいもんぢゃごさんせぬ、富岡八幡参詣の、ケチな野郎にござんすと、すりぬけ渡り門前仲町、右へ曲つて八幡さん。横綱力士の碑の前で、老いの一徹貫かん、起請をこそはこめたりけれ。ああ、くたびれた。

●それにしても此の日、女どものだらしないのにゃあ、あきれたよ。地下鉄の中ぢゃ子連れの母親、人形の帽子が落ちてても知らん顔、文明堂へコーヒー飲みに入つたらハンドバックを床に落としたまんまでしゃべりまくる主婦、帰り路ぢゃあすれちがつたポニーテールの若い女がポトンと財布を落として行き過ぎる。見りゃ一万円札のへりが顔を出してゐるぢゃないか。知らせてやつたら「アッ」と叫んで拾つたまんま、有り難うも無いわさ。

路上置物規制問題は二百年前と同じ

（十二月一日）

●私鉄小駅前―
若い主婦「まあ、なんだつてこんなに自転車がぎつしりなんだらう。私の自転車を置く場所が無いぢゃないのッ」
中年ワイフ「なにさ、その言ひぐさ、あんた方が無闇と放置するんで私のが奥へ埋まつちゃつて、出せやしない、仕様がないね、本当にッ」

●超党派立法により、自転車駐車場法成立―
老書生「これを割鍋《われなべ》に綴蓋《とぢぶた》といふなり」
巷の発明家「さうだ、無騒音ローラー・スケートを女にはかせ、背中に連尺（背負籠にてもよし）をかつがせりゃいい。駐車場なんて要らねえし、スイラスイラでみんな喜ぶぜぇ。

●天明八年（一七八八）、江戸の町奉行所は商工街の路上物規制について年番名主より実情の答申を受く。四条あり。左にその要を記すべし。

一、諸道具、古材木、荒物ならびに生舟（活魚の水槽）等、すべてかさばる物は軒下の雨垂れ下水の外側三尺まで積出許可。但し、魚や野菜の棚は一間までの処あり。

二、薪は河岸通り、または町家の軒下、高さ四尺まで積上公認。

三、大八車に荷を積んで路上に置く場合の高さの規制は特に無し。荷崩れせぬやうにするのが重点。

四、大八車はかさばつて店の敷内に置けないから、休日や夜分には家の前、町内木戸際、または河岸などに駐車黙認。

なあるほどねえ。二百年前もやつぱり路上規制にゃあ、苦労があつたんだなあ。

シェヘラザードのホルンの音色

（十二月八日）

●書窓には、桃色の山茶花が五六輪、こちらを向いて私にながしめをつかふ。食堂の窓には鬼門に植ゑた銀杏の黄色い葉がひらひらと落ちてくる。

紀州からは九度山の柿、こいつあ、真田幸村を思ひ出すなあ。まつた信州からは蜜入林檎の舟が着く。最も真田血縁の深い上田からだ。同時に入津とはありがたや。早速賞味の上にて老母と病兄に届けたり。

今日は本郷の湯島で婚礼披露に一席の弁、それを終へたら日比谷の原、公会堂で催されるロンドン・フィルハアモニック・オウケストラの演奏を楽しむことになつてゐる。その入場券一枚一万二千円の夫婦分二枚もロハ入舟で、金は要らん。

かくて、硯箱の蓋を開き、これも頂戴物の墨と筆とで礼状を認める。郵便はがきは女房が買つた出舟の品だが。僅かばかりの勤労奉仕にこれほどまでの厚い情のしたたりをとは、隠者の快や極まれり矣。（矣とは断定の意）

●ロンドン・フィルの指揮者は初来日のヘスス・ロペス・コボス。おもしろい名前だねえ。曲目はファリアの三角帽子と、リムスキイ・コルサコフのシェヘラザード。子供の頃を思ひ出すなあ。ことに、デ・ファリアのエル・アムウル・ブルホウ（恋は魔術師）など、いまでも口三味線で再現できるぐらゐなんだ。今日は座席が堅琴にごく近かつたので、美女ジャニス・ヘヴェン嬢の弾き鳴らす音色の優雅にやあ、惚れたぞよ。

●千夜一夜物語の終りを告げるシェヘラザードの消えゆくホルンにうつとりし、落葉をふみ、細雨に首をすぼめて夜を行く。

憲法出でて人倫すたれ

●住宅街の一角、洋風二階家の蕭洒たる寝室。
亭主「おい、戸閉まりを厳重にしてくれ」
其の妻「してありますよ。ご安心あそばせ」
亭主「だめだ、部屋のドアが施錠してない」
妻「なんですねえ、新婚ぢやあるまいし、他人も居ないのに」
亭主「バカッ、外より内の方が危険なこと、忘れたのかッ」

●近頃、中学校内で生徒の暴力が横行し、警察官が乗り込み、ガキどもをひつとらへる大騒動、かと思へば、小学校の女児三人がクラブ室で一升酒くらつてでんぐりかへり、女子中学生が級友を寄つてたかつてなぐる蹴る、いやはや、おとなどもは思案投げ首だ。そこへ、二浪生の両親惨殺事件発生とあつて、こりゃあもう、子持の親の前途はまつくら。無明の闇を手探りに、はて、どこへどう歩いたらよかんべえ。

●俺の居た中学は県立一中で、大部分のもんが旧制高校へ入つちまふてえ進学校だつた。それだのに学内は自由奔放で、暴力も横行した。校長排斥運動もあつた。昔の子と今の子と、人間の質はそんなに変はつちやあゐないと思ふ。違ふのは、厳正な罰則があつたこと、落第がどしどし行はれたこと、生徒は悪るさをすれば必ず罰せられ、甘んじてこれを受けたといふ点なのだ。これが学校つてもんなんだ。穂積八束いはく、「民法いでて忠孝滅ぶ」と。いまや、憲法いでて人倫すたれ、人権さかりにして人格喪失す。軍国の世は強きに倒れ、平和の世は弱きに崩る。古今同慨なるかな。ああ。

（十二月十五日）

泉岳寺門前の甘酒屋

（十二月二十二日）

●十人ばかり仲間をつのつて、高輪の泉岳寺に詣でた。墓所にはお線香の煙がもうもうと立ちこめ、眼も痛むほどとはうれしいね。人情いまだ地に堕ちずか。老生も大石良雄の墓にぬかづき、香をささげて瞑目合掌することしばし。帰りには山門前の土産物屋で山鹿の陣太鼓を買つた。孫の耳を驚かしてやらう。ついでに茶店で一服。名代の甘酒をすする。婆さん、砂糖なんか一匙も入れてありませんよと、低い鼻をつりあげて自慢しよつた。

●たそがれの増上寺前を通り「こども平和塔」を眺める。小生の伯父が中心になつて建立したものである。伯父の二人の男子は戦死した。その悲しみを無駄にしまひと、伯父はこの塔の建立に打込んだのだ。今は故人。

●愛宕山麓の青松寺脇の料亭で精進料理の忘年会を開く。会者十八人。酒は白鹿、前菜はおきまり胡麻豆腐、小附は生湯葉、吸物は白味噌椀で具は蓴菜《じゅんさい》と零余子《むかご》、お凌ぎは手打そばにとろろ、八寸は百合根《ゆりね》、寄せ豆腐、にたくもじ、菜の花、愛宕時雨《あたごしぐれ》、え、こりゃ何だいと、此の家の美しい嫁御に問へば、うどん粉を材料に、蛤《はまぐり》の時雨煮もどきの形や色味に仕上げてありますとよ。

　このあとさらに幾品か続いたが総て省略。精進の名からすれば、もつと素朴な食物の方が良い。禅定の庵主が方丈の裏山に生えてゐる天然の草根木皮を採集してきて食べ、伯夷叔斉が首陽山の蕨《わらび》を食つて餓ゑを凌いだ故事までは持ち出すには及ばんとしても。ま、贅沢日本の一典型と評すべきか。

昭和五十六年

あくびする猫

虎退治騒動の鹿野山神野寺へ

※タイトル編者

（一月九日）

●寒い、寒い。冷え性にはこたへるわい。たとへカーターがレーガンに代はつたところで、この凍てつきや積雪が溶けて温たまるつてわけぢゃない。歯茎がはれて入歯は入らず、口角には鳥のやいとが又出て裂け、いやはや、禄なこたあないよ。

●言ふな、それがしも日本男児、これしきの事にへこたれてなるべいものぞと、ある朝早めにガパと跳起き、大手の城門八の字に押ツ開くや、家の子郎党引き具して颯爽と出陣をぞ致しける。

　川崎の津よりカーフェリーに乗り移り、波風平らな海上を滑るが如く木更津へ。これより一路南走し、※彼の虎退治騒動で愚名天下に轟いた鹿野山神野寺へと志した。沿道には桜の老樹が多く、寺の境内には名物大桑の木が枯れ立ちしてゐる。道場へ入るといはゆる宝物類の雑物がごたごた並べてある中に、大町桂月遺愛の大瓢が見付かつた。桂月は寺の裏手に住んだことがあると。このひさご、長さは二尺もあらうか、細身で、なんとやらん、へちまの滑稽味を帯びてゐる。酒仙桂月の風姿を偲ぶよすがだ。

●帰路は陸道をまつしぐら。左手に延々と連なる京葉工業大団地帯はさすがに壮観、女房どん歎声を上げることとしばし。いつか、テレビの深夜放送で、ニューヨークの新聞記者五十人を集めた日本側が、今の日本の首相は誰かと聞いたら一人も鈴木善幸氏の名を挙げなかつた画面を思ひ出した。米人にとつて、日本は企業集団に過ぎず、国家とは思つちゃゐないんだな。恐れ入りました。

※神野寺の住職が飼つてゐた虎が隙をうかがつて檻から脱走し、近隣の人々を恐怖に陥れた。虎は射殺される。

イランとアメリカの最後のかけひき　（二月二日）

●※イランとアメリカの最後のかけひき、なかなかの見ものだつたなあ。カーター退任のぎりぎりの時までがんばるホメイニ、幕の陰からギョロリとにらむ二挺掌銃のレーガン、国際劇場の桧舞台はさすがに緊張感を盛り上げた。

●くやしまぎれに言ふわけぢゃないが、わが日本にだつてこのぐらゐの外交はあつたんだ。かの日清戦争のみぎり、いくさに勝つた日本は遼東を割取した。しかし、下関講和条約はまだ批准を完了してゐない。そこをねらつた清国はロシア、ドイツ、フランスの三国に泣訴していはゆる三国干渉の出番となる。批准もせずに遼東を手放したりすれば日本の面目は丸潰れ、なんとしても遼東をまづ日本に割譲させ、しかる後に改めてのしを付けて返還といふ運びにせねばならん。重責帯びたる特命全権弁理大臣の伊東巳代治は芝罘《チーフー》に乗込み、清国全権伍廷芳と談判を開始する。芝罘港外にはロシア艦隊十二隻、フランス軍艦三隻が威圧を加へ、時限は五月八日の午前零時だ。これを過ぎたら下関条約はオジャンだ。

敵もさる者伍廷芳、じりじりと時をかせいで時限の突破をもくろめば、伊東は急迫また猛撃、なんとしてでも十二時前に批准を済まさんと龍攘虎搏、虚々実々、ハッシハッシときり結ぶ。この手合せ、わづかに伊東が力やまさりけん。遂に折れたる伍廷芳、しぶしぶ批准書に署名した。時刻は午後十一時三十分。も少し伍廷芳にねばられたら、伊東はその場で腹でも切らねばならなんだ。天晴れなり。だが、これも昔語りとはなつたるか、あゝ無念。

※一月二十日、イラン、アメリカ大使館の人質を四十四日ぶりに解放

ステッキは吸殻集めの兵器

●底冷えと乾きのきびしさに、さすが辛抱強い草木の葉もべとりとうなだれてしまつた。植木鉢の土はカサカサだが、水をやれば凍つてなほよくない。金庭の草木すべて悄然たる中に、松のみが緑濃く、紅梅だけが芳香を放つて凛乎たり。人間もかくありたいものだ。

●厳冬には疫病神が人間を苦しめる。老人は体内の燃料が不足して冷え死をする。ちょつとした物につまづいてころぶ。この、ころび、まろびつてやつが命取りとなる。だから、ころばぬさきの杖なんだ。小生、六十歳の春からステッキを用ゐてゐる。時々、身障者だと思はれ、無用の同情を忝くすることがある。このステッキ、実は停車場のプラットフォームに散乱する紙巻煙草の吸殻を掻き集める兵器なのだ。同時に、身体の平衡を保ち、階段の昇降を楽にする合力でもある。老人の方々ステッキを愛用せられよ。ごみを集め給へ。

●疫病神にご退場願はうといふのが節分の行事だ。明日は立春よと希望を抱き、いわしの頭を門口に置いて疫払ひする。大昔、豆まきよりも前から行はれてきた風習である。「いわしの頭も信心から」といふ俚諺はこれから出たんだらう。なぜ、そんなことになるのかと思うたら、ふと気が付いた。猫を寄せて春を招かうといふ魂胆だつたに相違ない。

今朝も今朝とて、この寒空に、路端には二匹の猫、てんでにそつぽを向きながら、いやらしい声で恋を語らつてゐるではないか。やつらにはもう、春のおとづれがあつたのだ。その春猫がいわしの臭気に誘はれて、人の門口へ春をもたらすといふ趣向ぢゃないのか、でも、けてれつぢゃなあ。

（二月九日）

専守防衛はダメ兵法

（二月十六日）

●退職寸前の統幕議長竹田五郎どん、ちょっぴり「いたちの最後ッ屁」をひつて一悶着、朝日(二月二日朝)を見たら、一面二面それぞれトップの大サーヴィス。荒事芝居の団十郎でもうらやましがるやうな引けぎはの花道だ。

　竹田議長がいちゃもんつけた「専守防衛」、本名は「戦略守勢」だつてんだから、国語の乱れ、これより甚だしきはない。全然違ふよ、意味が。「専守防衛」をことばどほりに実行するには、先制攻撃による防御よりよつぽど費用がかかり、犠牲が大きいのだ。こんなこたあ、子供のころ、一度でも喧嘩したおぼえのある者なら誰でも知つてるこつた。それをだ。大の男たちが寄つてたかつて金もかからず犠牲も少ない専守防衛なんてえデタラメを言ひふらし、国民を瞞着してきたんだから、あきれて、ものも言へん。制服組の常識論を文民の非常識がおさへこまうてんだから、ちょいちょい瓦斯もれするのはあたりまへだあね。

●折しも二月七日は新制定の「北方領土の日」、伊豆の下田では長楽寺で日露和親条約締結の時代劇もかかるんだと。こりゃ、凝つてるねえ。旧暦では安政元年十二月二十一日、一八四四年にかけるのだが、それを新暦になほすと一年ずれて一八五五年の二月七日になること、紀元節と同じ。下田はペリーだけにご縁があるとお思ひの方々、一つ歴史知識が増えましたな。

　ロシアの使節プチャーチンが乗つてきた軍艦ディアナ号は駿河の一本松沖で沈没したので、戸田《へだ》で船を新造し、それに乗つて彼は帰つた。日本は親切な国さ。

国会で答弁する官僚の姿は狛犬に似たり

（二月二十三日）

●国会の質疑応答風景をテレビに見る。いけませんなあ、政府側諸賢の答弁姿勢は。なんだねえ、上体を前に傾けて、両の手をテーブルの上に突ッ張つて、あれぢゃあ、神社の前の唐獅子か狛犬みたいだよ。

　いやいや、唐獅子や狛犬は顔を真正面にきりりと向けて、いかにも強さうだのに、諸賢ときたひにやあ、専ら下向き加減、片や野党の面々、胸を反らし、肩をそびやかして打つてかからんずの勢だ。こんな風景は見るに堪へんです。

　政府側の低姿勢は内外両面より観察する必要があらう。マイクの頭を気にしてそれに自分の口を近付けるため、どうしても体が前屈する、これ外形である。ロッキード事件で国会が湧いたときの政府側立役者、伊藤刑事局長はその前屈姿勢の最たるものだつた。どうであらう、テーブルをキリスト教会の説教台ぐらゐに胸高にするか、大臣、高官諸公が明治の元勲のやうに堂々たる髯でも生やしたら。これなら、胸も自然に反るだらう。世話が焼けるよ、まつたく。

　さて内面より観ずれば、政府の専守防衛主義がおのづから卑屈の弊を生じ、ただひたすらに質問のを矢を外らしつつ時間の切れるのを待つといつた根性になりさがつてをる。これでは政論にならん。内外全面改正を要すること、法律案より先決事項であると思量する。

●モスクワのキリアン中将、日本の姿勢※がデカいと共同通信を叱る。北京の方からはまだなんとも言つては来んが。デカかあないよ。

※二月七日は「北方領土の日」（一月六日制定）各地で返還促進集会が開かれた。

ヨハネ・パウロ二世の皇居敬訪を阻む神父や牧師

（三月九日）

●ローマからはるばる訪来のイエス・キリストの代理者、ヨハネ・パウロ二世、皇居で天皇陛下と会見、いともにこやかに。

　陛下は皇太子時代、バチカンを訪れ、当時の教皇ベネディクト十五世に表敬された。六十年の歳月はここに流れ、パウロ二世の東京入りとなる。宗教の次元でではなく、国際間のおつきあひ、結構なことである。

●ところがどうだい、一部キリスト教の神父や牧師はパウロ二世の皇居訪問を中止せよと事前運動をしたり、「法王訪日の意味を問ふ、宗教者・市民シンポジウム」なんてのを開いたりして、反対の気勢をあげてゐるとは。その理由なるものは共産党と同じで、「天皇の戦争責任は未解決」だのに、会見が行はれれば天皇の責任は消え、権威は高まり、右翼の天皇制復活への言動を助けることになるおそれがあるとかいふことだ。アメリカあたりでも、カトリックの神性と神道の神性の出会といつたとらへかたで、天皇神格化の復活を懸念する向きもあるとか。冗談ぢゃあない。これすべて西洋人的、キリスト教的発想にすぎない。

●小生の亡父はキリスト者であつた。しかし、よき日本人であり、皇后さまから賜はつたお金を基金の一部として、結核退治に生涯をささげた。その建設したサナトリウムを恩賜保養農園と号した。いまは鹿島工業団地にとつて代はられ、移転した後の名称からは恩賜の二字が削り去られてゐる。亡父の志や空しだ。キリスト教徒よ、めざめよや。

レーガン大統領を狙撃した男と難波大助の相似点（四月十三日）

●レーガン米大統領狙撃事件もくはしいことは分らんが、新聞で見るかぎり、かの大正十二年に東京は虎ノ門の辻で起こつた※摂政皇太子狙撃事件とあんまりよく似てるんでびつくりした。

●大統領が襲はれたのは首都ワシントン、それもホワイトハウスに近いホテル前、そこで開かれた建設労組総会での演説の帰りだ。一方、摂政皇太子は第四十八議会の開院式行啓の途次、首都東京の中心、皇居のすぐ近くである。

　レーガン氏は、国民との間に垣を設けないことを主義として身辺の警備を軽くしてゐた。虎ノ門事件の当時、宮内省筋も同じやうに、皇室と国民との間に垣を設けてはいけないといふ配慮から、お召車に側衛車を添はせず、前後に二台つけただけである。その隙をねらはれた点が実によく似てゐる。

●さて、犯人。ジョン・ワーノック・ヒンクレー、その兄弟はブッシュ副大統領と親しく、家は何不自由のない環境。だが本人はテキサス工科大学に六年ゐても、休学や復学をくりかへし、あげくのはてには放浪性転職の度重なる二十五歳の失業男である。

　一方は難波大助、山口県の素封家の三男坊で、父は衆議院議員、長兄は一高東大卒、次兄は三高京大卒、ところが自分は何度受験しても落ち、親を恨み国を憎み、幸徳秋水大逆事件の新聞記事を図書館で読んで激発し、遂にステッキ式散弾銃でパリン。しかし幸ひにも摂政宮に異状はなく、レーガン氏も生命に別状なしといふ。人間の中なる悪鬼の爪牙、抜き取るのはむづかしいやうだな。

※後の昭和天皇

縁談——その古色蒼然たる表現

（四月二十七日）

●猫の額のわが庭だが、花大根が群生して淡い紫色の花ざかり、その下には杉苔が沈んだ緑色の絨毯のやうにひろがつてゐる。庭石のそばには春蘭が。女房どんにいちいち教へを乞はねば草花の名さへわきまへぬ没趣味ながら、ぼんやり眺めてゐると、まことに気分が良い。

●収入のたしになるどころか、支出のたしにしかならない仕事を山ほど持ちこまれ、はて、何の因果でこんな難儀な山坂かと、つくづく我が愚善を自ら憐れんでゐるときに、猫の額でも雀の頭でもいい、ささやかな庭の花や苔が慰めてくれるのはうれしいかぎりだ。

●女房どん、鉢に植ゑた富山産のチューリップ、咲いたはいいが薄い蜜柑色をしてゐるのを不気味がり、かつ、歎きの声をもらす。これは旧友がくれたものだ。美しい娘さんが三十に近くなつちまつたのにまだ良縁が無いといつてこぼし、時々、老生を刺戟する。こつちも心懸けちゃあゐるんだが、あいにく青年の在庫払底で、世話のしやうもない。随分ゐるらしいなあ、この同類項が。

●縁談—古色蒼然たる言葉になつちまつたねえ。縁は異なもの味なものとはいふが、うつかり縁結びの役は引受けない方が安全だよ。大商事会社のチャキチャキ社員だからつて取込詐偽もやるし、裁判官だとて被告人の女に手を出したり、業者から収賄して手が後ろにまはるなんてこともある。大学の教授が不正入学に一役買ふなんてザラらしい。中年まで無事故の保障なんかできつこないからなあ。チューリップの花の色が変だなんて、軽いよ。

天皇陛下の八十歳御誕辰を寿ぐ

（五月十一日）

●天皇陛下が八十歳の御誕辰をお迎へになり、天機うるはしく国民の奉祝をお受けになつた。めでたい。

●想起すれば、陛下の八十年は波瀾万丈、疾風怒濤の連鎖であつた。摂政のときに難波大助の狙撃を浴びられ、幸ひお怪我は無かつたものの、近代日本の暗部に直面せられた御感懐はいかがありしか。二・二六事件、そして大陸での泥沼戦争から第二次大戦とその終焉、米よこせデモの皇居乱入、数へあげれば際限のない危難の千起万滅、あたかも走馬燈のやうに回り巡つて今日に至つた。

　陛下の聡明にして堅忍不抜なる、また日本国民の機敏にして伝統を守ることの堅き、よく破局断絶を回避して繁栄の道を開いた。ありがたき幸せといはねばならない。

●想ひ出すなあ、老生のまだやんちゃな小童《わつぱ》時代を。神奈川県の逗子に家があつたから、陛下が葉山御用邸に御滞在の折にはよく御道筋にお出迎へ、お見送りをしたもんだ。虎ノ門事件のせゐで警備は厳重になり、制服巡査が電信柱の何倍といふほど沢山並んでお行列に尻を向け、此方の動きに眼を光らせてゐる。私服刑事が「こんなにしなくてもいいのになあ」と、つぶやいてゐたつけ。夏七月になると、山百合の白い花が咲き乱れる六代御前の墓の裏山に、三十にもなるのにまだ幼稚園児のやうな能力しかない男が登つて見おろし、森然たる静寂の気を破つてバンザイと叫んだ。警官がたちまち追ひかけまはす。男は家に逃げ帰つて風呂の中に隠れて震へてゐたよ。むづかしいなあ、世の中つてのは。

ゴールデン・ウイークに余は何を爲せるや

（五月十八日）

●ゴールデン・ウイークとやらいふ祝日休日続きに、小生がなにをしたか、ご披露に及ばう。まづは栃木県小山なる長男の宿舎へ、東北新幹線の工事が大分南へ延びてきた。大宮以南はどうなるのかな、などと眺めやりながら各駅停車の空いた座席にのんびり閑。宿舎の一夜は蛙鳴を聞きながらぐつすり睡る。

　翌日は足利市訪問、渡良瀬川の北岸台地にある此の街は実用的な銘仙、布団生地を特産としてゐたが、いまはトリコットの生産地に変つてゐる。鑁阿《ばんな》寺境内をぬけて足利学校へ。人影まばらな大成殿の前にしばし佇む。

　第三日は小山城址のつつじを観賞、思川の清流を見下し、名も知らぬ老樹の梢を見上げ、駅ビルの食堂で生ビールのジョッキを傾け、口のまはりを泡だらけにして空腹を満たし、午過ぎのガラ空き電車にのうのうと坐り居眠りしながら東京へ帰つた。

●またその翌日、方角を変へて鎌倉の友人宅訪問、今度はガラリ一変の大混雑だ。どえらく深い地下にもぐりこんだ横須賀線のホームには幼若の大群がひしめいてゐる。しかもその八割方は若い女だ。どうしてかうも娘ばかり鎌倉へ行くんだらう。開発山宅造院観光寺欲念房、手を代へ品を替へて客寄せに精進か。善無識の女菩《にょぼ》薩《さつ》優婆夷《うばい》はゾロゾロゾロと、磁石に吸付く砂鉄の如く、腐肉にたかる衆蟻の如くに大路小路を埋め尽くす。

　大倉郷杉本寺の十一面観音像を久方ぶりにをろがみ、報国禅寺の孟宗竹林で抹茶一椀を喫し、浄妙寺裏手、足利貞氏の墓のあたりから山景を眺望して去る。此処にはほとんど人影を見ず。

朝日新聞は偽忠の鑑

（五月二十五日）

●どうだい、朝日新聞五月十一日朝刊の一面と社会面、「天皇陛下、本社をご訪問　電算機編集にご関心」（一面）、「陛下、瞬時の編集ご感嘆」（社会面）と来たね。

　これまで、とかく皇室に関する記事にはことさらぞんざいな言葉を使つてきた新聞、たとへばだ。「天皇一家」なんていふ、いとも気色の悪い表現をわざと流してきた彼等にしてはそれこそ「感嘆」に値する変りやう。自分とこの製造技術を大宣伝するとなりゃあ、そりゃあもう、丁寧にもならうつてもんさ。結構、結構。

●ところで、電算機もいいが、新聞を造るのはただ印刷だけぢゃあない、問題は中味だよ。天下第一等の新聞はその面目にかけて内容を良くしてもらはなけりゃあ、買ふ方が迷惑するつてもんだ。そこでつらつら紙面を見るに、うん、前よりはぐつと良くなつたなあ。これなら年来の主義を改めて、朝日、採つてもいいよ。だが、ちと待てよ。どうもお人よしはすぐ陥落するのがいかん。この点、ポーランドの労働者ワレサ※君に学ばなけりゃなあ。じつと紙面造りの行末を見守るとしよう。

●投書欄に面白いのが載つてゐる。スイス人の妻フオン・ラウフェン昭子さん、三十一歳。夫は毎年三週間軍隊に入る。鉄帽をかぶり重い銃を肩に家を出て行く最愛の夫、戦争はいやだがそれでも国の守りは義務なんだから、かう割切つてゐるスイスの男たちに、日本人妻は励ましの声を背中に投げるのだ。非武装中立なんて叫ばずにきびしい現実を正視し正対する女は強い。大いに読み給へ、朝日を！

※「連帯」の領導者ワレサはねばり強くヤルゼルスキ政権に抵抗、十二月には戒厳令が布かれ、弾圧を受けた。

アライアンスといふ英語の勝手な解釈

（六月一日）

●学生「※日米共同声明文中、アライアンスといふ英語が問題になつてゐますが先生、これは軍事同盟ではないのですか。」

全方位教授「辞書を引いたかね、アライアンスはまず縁組と訳すべきだよ。国家間の縁組なんだ。日米の和親なることあたかも仲むつまじい夫婦の如く、といふ意味なのだ。空恐ろしい軍事同盟なんかではありはしないよ。」

学生「すると、どつちが亭主でどちらが女房でせう。」

教授「君、そりゃあ、男女は同権だからね、どつちでもいいのさ。」

学生「女房が暴漢に襲はれたら、亭主はどうします」

教授「日本がもし女房なら、亭主たる米国は必ず助けてくれる。だが此方が亭主なら……いや、向うに暴漢が襲ひかかることはないよ、強いからね。しかし、そんな仮定を立てるのは科学的ではない、断じて有り得ない……」

学生「サッパリわかんねえや」

●学生「核の持込みの英語、イントロダクションの解釈がもめてますね。」

教授「実に怪しからんことだ。寄港も領海領空通過もすべて〝持込み〟になるにきまつてをるといふのに。」

学生「辞書を見ますと、どうもそんな風には解釈できませんねえ。イントロつてのは此方へ採り入れるとか、輸入するとか紹介するとか披露することでせう。梱包ほどいて見られる物についてなんですよ。ところが核弾頭は極秘で、有るのか無いのかわからない。これぢやあイントロになりませんやね、いかが。」

※五月、鈴木首相訪米、レーガン大統領と共同声明に、「同盟関係」を明記

秘核、飛車角、王手

（六月八日）

●非核三原則ゆれる。

政府「三原則は堅持致してをります。」

注—持たない、造らない、何も言はないの三原則でした。

野党「こつちは引ッ掻く三原則だ」

注—許せない、〈しかし〉対策は立てない、〈だから〉攻め過ぎないの三原則堅持。

新聞「企画三原則を守ります」

注—〈気に入らない人に〉書かせない、言はせない、評価しないの三つ。

福田恆存の反撃「非書く三原則」

注—書かない、読まない、買はない。

核家族はぼやく、「日本にゃあ、俺たちみたいな核はうようよ居るのに、何が非核だい。何が持込ませないだ、よろし、此方も悲核三原則といかう」

注—〈余計に〉生まない、〈子は〉叱らない、〈未来の〉夢みない。

●わざわざワシントンまで来た鈴木日本首相のケツをキックしたレーガン大統領の核三原則がこのほど判明したので、特報する。

—秘核、飛車角、王手！

●めぼしい花がほとんど散つて、名も知らぬ野草がひつそりと青葉の下に小さな花をのぞかせてゐる。まるで、狭苦しいアパートに身を寄せ合つて暮してゐる安サラリーマン夫婦のやうに。手抜き放題のバラック２ＤＫが六万円もの家賃で夫婦一ケ月の食費より高くつくとは何たることだ。若いもんには広い家を与へたいなあ、生まれる子が可哀想だよ。持ち家政策を大転換して借家政策を推進せよ。でないと、核家族が爆発するぞ。

文部省教育白書の不評

（六月十五日）

●近頃はトンと週刊誌を見なかつたが、週刊新潮が「文部省教育白書は税金泥棒の見本」といふ記事をデカデカ出したので読んだ。小生、ちと文部省には縁があるのでな。知らん顔もできんわけだ。

　いやあ、こつぴどくやられてますなあ。気の毒に。「現状分析も提案もない」、「教育の中味が完全に抜けていますね」、「本文抜きの〝付録白書〟」にすぎん、事なかれ主義の標本だ、こんな統計集と、空念仏みたいな「今後の課題」と称する一文を並べて能事足れりと空嘯いてゐる文部省は、単なる教育施設庁以外の何物でもない、うんぬん。

●そのとき文部省少しも騒がずわるびれず、校内暴力、教科書問題、このやうな今日的問題を扱ふのは白書の趣旨ではない、われわれは長期的に文教の実歴をとらへることを基本に編集してゐるんでありまして…なるほど、なるほど。どうも批判者の姿勢と嚙み合ひませんなあ。そこで一言、岡め八目といかう。統計だけなら毎年「文部統計要覧」が出版されてゐる、これを見れば大体のことは分るんで、その数字を分析してグラフを色々と作るなんてことは教育研究所にでもやらせておけばよからう。調査統計がはやりだしたのはＧＨＱの日本管理以来のことだ。彼等は日本へ進駐してきて、諸官庁の統計が余りに少くかつ不備なのにあきれて、日本の役人をどやしつけ、統計を作れ、統計を出せと迫つたんで爾来、官庁は統計作りに精を出し、肝腎の中味や問題意識はお留守がちになつたつてわけだ。さういふ経過も統計にせにゃいかんな。

横着は猫ばかりではない

（六月二十二日）

●のら猫がわが家の裏の軒下で子を産んだ。親子してのべつに大小便をやらかし、後足で砂を蹴つて汚物を埋める。だから、あつち、こつちにボタ山みたいなふくらみが生じた。いやな臭気がする。

　女房どんは猫嫌ひだ。プンプン怒つて香をやたらに焚き、庭の中は寺の本堂みたいだ。軒下に煙草の溶液をたらしてみたが、さつぱり効き目が無い。猫め、悠然と庭先をよぎり、裏手へまはつてゆく。わが家は猫にとつてトイレットに過ぎんのか、ええいのら猫め。

●考へてみると、猫より横着なのは人間の方だ。最近とくに気に入らんのは、電車に乗つた若いもんが鞄などの手荷物をドサリと足下に置いて車内の往来を妨げるのを見るこつた。網棚つてものが有るのに、荷物を載せようとしない。腰掛けてる奴は両脚の裏側に荷を置き、立つてる奴は両脚の間へ挟むやうに置く。横着な風俗だよ。

　重さのある物を持ち上げて網棚へ載せるときに費されるエネルギーは、確かにドサンと下へ落とすより遥かに大きい。できるだけ精力の減耗を少くしようといふわけだ。

　誰の迷惑になつても構はんといふのならばよし。市内や近郊を走る電車の網棚、全部取つ払つてしまへ。さうすりゃあ、車輌の製造費は少しは安くなるだらう、経営も楽になるはずだ。なに、網棚ぐらゐやめても製造費の節約にはならんといふのか、そんな考へだから行きづまるんだ。猫だつてババに土をかける、別に、かけなくつたつていいんだ。人間は本当に猫より横着だなあ。

老人ホームの恋わづらひ

（七月六日）

●いやあ、どうも、呆れたねえ。茨城県は麻生町で、病気入院中の七十歳男を七十五歳男が殺意をふくんで襲撃し、殴りつけ、目的どほり殺してしまつた。犯行の動機は入院老人の六十七歳妻に横恋慕してもつれを生じたからだとさ。老人間に起きた恋の恨み、寝た刃を研いでの乱入とはドッキリだ。前にも老人ホームで恋わづらひの事件があつたつけなあ。

●それに就いて考へるわさ。世間では老人福祉を口につるして、いろんな手当を講じてゐるが、色恋沙汰に身を焼くなんざあ、若いもん顔負けのていたらく、金をつかつて〃お年寄りにあたたかい手を〃なんて滑稽ぢゃないか、いつそのこと、やめちまへや。

政治家「バカなことを言ふもんでない。ごく稀な例を理由に老人福祉にけちを付けるがごとき、不届至極である、ああ、福祉福祉。」

若いの「つまり、老人てのを八十五歳以上につりあげりゃいいんだ。ここまでくりゃあ、よもや狒狒《ひひ》ぢぢいやゲバぢいさんは出てこまい。高齢化社会だなんて言ひながら、老の定義はまだ奈良、平安のいにしへ並みなんだから矛盾してゐる。われわれはあ、ダンコ、八十五歳説を主張するう。」或る老人（六十七歳男）「大きな声ぢゃあ言へないが、七十五歳で恋の寝た刃なんて、ちとうらやましいな。どうしてそんなに永続性があるんだらう。福祉対象「老人」の年齢なんかどんなに引上げられてもいいから、そつちの方の力を若い者なみに引上げてくれる方法は無いものか。ああ、精力福祉に政治の力を、社会のあたたかい手を。」

華国鋒たちまち転落

（七月十三日）

●北京では華国鋒主席が失脚した。はかないねえ。五年前の十一月二十四日、光明日報は彗星の如く出現した華主席を讃へて「一九四九年、毛主席の派遣した解放軍が湖南省入りした時、一番乗りしたのは灰色の軍服に身を包んだ華国鋒同志だつた」と押上げた。この記事を日本に流してまた押上げたのが朝日の田所特派員なんである。

此の日、天安門広場の人民大集会に、党主席兼中央軍事委員会主席華国鋒閣下は緑の軍服も晴れ晴れしく楼門上に立つて大衆の歓呼に微笑を送つた。それから数へて僅か四年と半で逆境に沈淪の身とならうとは、お釈迦さまでもご存じあるめえ、と言ふところだが、どつこい、これあ、暗愚なること老生の如きでさへ予知し得たことだ。

某雑誌の翌年三月号に、老生は「後継者」なる一文を草し、華氏はたとひ毛氏の強い推挙があつたことが事実だとしても、「いまの情況は総ての人が疑心暗鬼なのだ。一旦の失敗は生命にかかはる。そして、その危険は、皮肉にも、最もきびしく現に政権の座についた華国鋒主席その人の頭上にあるとみなければならない」と指摘した。それが今や事実になつてしまつたのだ。

●しかし、まあ、いいさ。スターリン死後その後継者になつたマレンコーフはたちまち失脚して行方がわからなくなつた。しばらくして、彼がモンゴル国境に近い辺地の発電所長かなんかになつてゐるのがわかつたといふではないか。それに比べりゃあ、ドン尻でも副主席さ。これから先は別だがね。

中元と土用の本義

（七月二十日）

●暑中休暇がやつてきた。梅雨も児童生徒たちのために道をあけ、さあさあ、大いにやつてくれたまへと、青天井が見えるやうに自分から消えてゆくだらう。楽しいこつたねえ。このところ、いたいけな小学生が殺されたり、女子高校生が同級の男子生徒に懸想して振られ、包丁で刺し殺すなんてえいまはしい事件の連続だが、子供等を青空のカンカン照りにさらして虫干しをして、一気に邪魔外道を退治したいもんだ。はよ鳴れ、ゴロゴロ。

●七月十五日は中元、これは道教のきまりで、一月十五日の上元、十月十五日を下元とした中元のこと、此の日は人間贖罪の日とされてをる。元は始めだ。ゼロからやりなほすんだ。お中元と称して人に品物を贈るのは罪のつぐなひなんだ。あつち、こつちへ沢山お中元を贈る人間は、だからよつぽど悪い奴に相違ない。

●土用といふのは、五行説では春夏秋冬それぞれにあるのだが、世間では夏の土用（立秋の前十八日間）しか習慣の中に入れてゐないのもおもしろい。その土用の初日あたりから夏休みつてことになるわけだ。土用干しといつて、虫干しをする。一番に虫干しせにゃならんのが他ならぬ人間さまだあね。お中元で罪業のつぐなひをし、土用で邪魔の退治をし、真夏の太陽にジリジリ身をこがして宇宙のエネルギーをいつぱい吸取する。かうすりゃあ、秋口からは立派な正常人になつて大いに活動できる。世に処するに立身分明、期待できるね。なにも鰻の蒲焼なんぞわざわざ食ふこたあ無いさ。

　あ晴れ、あなおもしろ、あなさやけ、おけッ

甲子園野球解説者のお追従ぶり

（八月二十四日）

●テレビのつまみ引く。ワッと出る甲子園野球、亭主、画面をのぞきこむ。女房、サッと退場。

――やがて、食卓で。

女房「わたしは甲子園、絶対見ませんよ、不愉快だわ、あれはもう、学生野球ぢゃありませんよ、なにさ、野球業者の新人探しのからんだ大会なんて、不純ですよ。それに、あの解説者やアナウンサーたちはなんですか、やたらに〝すばらしい、すばらしい〟を連発して歯の浮くやうなお世辞をふりまいてばかり、聞いてゐてかんしゃくが起きさう、応援団なんかも派手に派手にとエスカレートして大層な出費でせう、裏では学校も親たちもフウフウ言つて、お金の心配ばつかりしてゐるんですからねッ。」

亭主「そりゃ、その通りだ、世の中で人気の湧くものは、すべて商売に結びつけられる、これ、営利社会の宿命なんだよ。甲子園野球はそもそもの始めから大阪朝日新聞社といふ営利企業の経営の一環だつたんだ。プロ野球の存在しなかつたころにはただ、朝日新聞がいい思ひをしただけで、旧制中学生には営利の観念なく、純真にたたかつた。その営利性は限られてゐたし、学生にはスター気取りが少なかつた。ラヂオが放送を始め、テレビが大幅に営利スポーツの宣伝に乗り出すに及んで、学生野球はほとんど完全に商売の具に堕落したのだ。これを堕落だと思はせないところに現代文明の悪魔性がある。」

女房「解釈なぞどうでもいいですよ、わたしは見ません。」

〈亭主、横目でテレビをチラリ〉――

京都駅――友待ちの間のどじやう研究

（八月三十一日）

●京都駅は八条口、人待ちの退屈まぎれに与太呂つてえ店へずいと入つた。カウンター前に腰かけ、生ビールと、もろこの南蛮漬を取寄せて軽くキュー。眼の前がどじやうの泳ぐガラス槽、どじやうの奴、時々ヒステリックに急上昇してピチャッと跳ねるんで、薄汚ない水滴がビールのあぶくの中へ飛びこむつてえ始末だ。

しかしなあ、胸に手を当てて考へてみりゃあ、やつらだつてものの十五分もすれば柳川になつちまうんだ、哀れだよ。惻隠の情やみがたく、矢立を取出してちゃうど真前に向いて此方をにらんだ一尾の顔を写してみたのが第一図。ウニとまちがへなさんなよ。獰猛だぞ。こりゃあ、どうだいピン然たるヒゲ、まるで槍ぶすまだ。戦争につながるおそれありつてえもんだね。

今度は横向きのを写してみた。それが第二図さ。ヒヤア、こりゃ又どうだい。古称進歩的文化人とか平和稼業の連中の舌べらそつくりのヒゲだよ、見てみなよ。先つ穂が三つまたに割れてるのか、ヒゲに小枝が生えてるのか、気味が悪いつたらありゃしない。

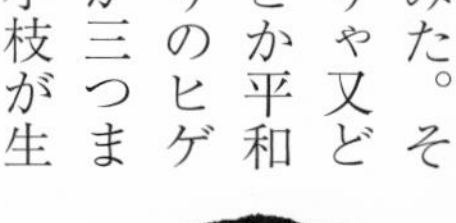

●天龍寺の和尚が憤慨してたつけ。こないだ、三派全学連くづれの女歌手と対談した、こつちは三派禅学連（臨済、曹洞、黄檗）の片割れだ、自分の国は誰が守る、自分しかないではないかと言つたらな、何とこいたと思ひなさる。こんなブクブク肥え太つた日本なんざあ守るに値ひしないわよだと。カッとなつて、ヘタクソな歌うたふな……残暑はきびしうござんす。

おたまじゃくしは滅亡した

●東京都西多摩郡五日市町にある広徳禅寺内の湧水池はモリアオガヘルの生息域だが、近年、来山者が増えるにつれて荒らされ方もひどくなり、このまま放置すれば絶滅の悲運もまぬかれぬとか。いやになつちまふなあ。

　そもそも青蛙といつぱ、シュレーゲルとモリの二種類あり、池辺の樹幹にはひあがつて卵を産む。これがやがてお玉杓子に成つてボトリと池へ落ちる、待ち構へてゐるのが鯉や鮒、お玉の大部分を食つてしまふが、そこがそれ自然の摂理、必ず一部は危難を免れて池の居住者にをさまる。人間さへ侵入しなけりゃあ、みんな安泰なのだ。

●青蛙は衛生家であり、且つ努力家だ。地べたにゐる虫なんぞにゃあ目もくれん。蓮や里芋の葉の上に鎮座ましまして土つかずの虫を食べる。努力の方も大したもんで、有名な浄瑠璃は小野道風青柳硯。竹田出雲等作家数人の合作で宝暦四年の竹本座初上演だ。

　でつかい青蛙を黽と書く。象形文字でビンまたはミンといふ。だから黽勉努力となるんで、このことばを校訓にしてゐる女学校もあるが、その先生たち、黽たあ何だか知らなかつたつけ。

●どこの池も死にかけてゐる。つりがね池もだめになつた。蛇蛙、みんな居なくなつた。増えたのは人間とゴミ。毎朝、そのゴミを拾ひ集めてきれいにするが、夕方にはもとの木阿弥だ。しかし、枯葉散り敷くあたりにはまだ、名も知らぬ菌が群生してゐる。ベンチの下に生えてゐるのは人間のケツの下でひつそり安らいでゐるよ。気を付けな、人間を。

（十月五日）

ゴルフのクラブは悪魔のタクト

（十月十二日）

●ゴルフのクラブは悪魔のタクトである。先には文部次官が教科書業界人の役員をかかへるゴルフ場の会員権をひどく安値で買得したとて非難され、次には法務省の官房審議官が司法汚職弁護士といはれる者から外人タレントの入国手続にからんで高級クラブをもらつたことが問題化して辞職に追込まれた。高級官僚ゴルフ禍に恐怖か。この魔のタクトから逃げ出せない哀れな官僚どもよ、フンドシを締めてかかれ。

　といつても、そりゃ無理かもしれんて。今の日本人でサラシのフンドシ締めてるもんなざぁ禄そつぽ居ないからなあ。みんな、男だか女だか区別も付かんやうなツンパはいてけつかる。

●贈答事故の背後にはインチキゴルファーがうようよしてござる。ついこなひだは煙管《きせる》乗車の常習犯でとつつかまつた偽紳士、こんなチャチな野郎がいけ図々しくもかさばるゴルフ用具を肩に天下の往来を活歩するご時勢だから、ゴルフ場の経営者にもウサン臭いのがちょいちょい尻尾を出すのは理の当然だ。

●街角で、ゴルフのクラブを振りたくるしぐさを恥かしげもなくやつてゐる三十がらみの会社員をよく見かけるが、こんな不快な光景はさうザラにあるものでない。ありゃもう悪魔のタクトに操られてゐる「でく」の坊だよ。一種の夢遊病にかかつちょるわい。この夢遊病者、目が醒めるや猛然と働き出して日本の国益増進に一役かつてるんだから事態は複雑怪奇といふのほかない。とにかく、ゴルフ熱に水ぶつかけよ。

小佐野賢治被告は偽証罪になるか

（十一月十六日）

●※小佐野賢治被告は偽証罪になるか、はたまた無罪か、五日午後の東京地裁判決を前に手ぐすね引いて待つ者や幾千幾万、利口者なら判決があつてから書くところだらうが、つむじ曲りの老生、人真似は嫌でござるによつて、前の日にちくと一筆、といつたところで罫線屋ぢゃあない、判決予想なんてする気はない。いささか偽証について物言ふだけだ。

「良心にしたがつて真実を述べ、なにごとも隠さず…」なあんて宣誓文を、読み上げて印形まで捺したんだ、うそつくわけは無い、だのに、誰かがうそをついていなけれゃ辻褄が合はん、※コーチャンか、小佐野か、どうも、今の宣誓つてやつは効き目が無いね。

●昔は起請文を出した。これはうそついたら弓矢八幡大菩薩は申すに及ばず、日本国中大小神祇の罰を受けるてんで、大層効き目があるやうなもんだつたが、やつぱりだめだつた。血判捺してもだめなんだよ。それほど人間のうそは根が深いんだ。

●くがたち（盟神探湯）つてのをご存じか。これはきびしいんだ。神前に釜を据ゑてグラグラと湯を沸かし、それへ手を突込ませるんだ。うそついてる奴の手は爛れちまうが、正直者の手にはなにごとも起こらんといふ。だから、後には湯起請と呼ばれた。これなら真偽明白だよ、大体、手を突込む前にドロを吐いちまふわね。紙に書くのは意味ないよ。いや、今の裁判所ぢゃあ、書かせるどころか、印刷したの渡して読ませるだけだから、良心をうその奥へしまひこんじまつた人間にゃあ、役に立たんのだ。

※小佐野―ロッキード疑獄事件の関係者、国際興業社主、昭和五十一年二月十六日、衆議院予算委員会に証人喚問さる。

※コーチャン―ロッキード社副社長

師走の本義を説き明さん

（十一月二十三日）

●亭主、撫然としてくちずさむ。

〽おほ寒む小寒む
　山から小僧が飛んで来た

女房「なんですねえ、まだ早すぎますよ、そんなの」

亭主「早かないよ、現に寒いんだから…時に、寒いとどうして山から小僧が飛んで来るんだらうなあ」

女房「まあた始まつた。知りませんよ」

亭主「さうだ、山寺の和尚、寒いもんだから小僧の珍念に酒を買つてこさせようつてえ寸法だらう。珍念、徳利かついで山から馳けおりるの図か」

女房「すぐにお酒に牽強附会するのね」

亭主「だまれ、いまのうちは珍念でいいが、もつと寒くなると、今度は坊主みづからご出陣とくるよ、寒山寺を飛び出し寒川をくだり、寒田村の寒井家で酒を買ふ、だから十二月は師走なんだ」

女房「うそおつきなさい。お盆と違つて暮れは生き仏の方がお金に忙しいんで、坊さんの方へ回らないから走りまはるんだわ」

亭主「卑しい解釈をするな。ふところの寒いのは此方だ、坊主ぢゃあない、だが、先祖代々寒酸には馴れとる。しかし、背筋が寒いのはかなはんぞ。いまや腹背に敵を受けたる素寒貧、なんでう以てたまるべき、もはやこれまで…」

女房「やれやれ、十一月早々からストーブの請求なんて」

亭主「いや、ストーブと酒だ」

判官代輝国を演ずる片岡我當の男振り

（十二月七日）

●教養夫人、婉然として、
「正倉院宝物展、ご覧になりまして」

われ憮然として、

「参りませんなあ、行く積もりありませんや。昭和十五年に初めて上野の博物館で大公開があつたとき行つたんですがね。有象無象の長蛇の列、ベルトコンベアに乗せられたみたいに宝物の前を通りぬけただけ、こりごりでした。今度だつて同じことです。バカバカしいかぎりです」

国立博物館ともあらうものが、どうしてあんな愚かしき大衆サーヴィスに浮身をやつすのか。近頃の美術ブームときた日にゃあ、鼻もちならんわい。この俺様が館長なら、広い部屋のど真中に宝物一点のみを安置し、入場料は五万円ほど捲上げてやらあ。

●久方ぶりに国立劇場へ。仁左衛門の菅丞相は渋くていいつて評判だ。しかし、老生がしんみりしたのは最後のところ、もう舞台の幕が下がり、後に残つたのは花道の取付に立つ判官代輝国ただ一人、我當演ずるこの若武者がどうしんがりをつとめるか、ぢつと見つめた。むづかしいところだよ。早くバスに乗らなきゃあ、早くタクシーを呼ばなきゃあつてざわめき始める心なき観客を静まらせるつてのは大演技だ、まあ、よくやつた方だ。
●そのあと、本郷赤門前の法真寺へ。ここでは一葉忌があつた。落葉散り布く寺の庭、堂前に樋口一葉の写真を飾り、太い線香をくゆらしつつ歌ふ寮歌それぞれ、「秋蕭條月明空に冴えて風物白き夕」のひととき詩思の中に過ごしたものさ。

おねねを反戦市民団体の会長に仕立てたテレビおんな太閤記（十二月二十一日）

●日本人は年に二度、戦争のことを取上げる。つまり、八月と十二月だが、八月の方は戦争呪咀の熱いムードが基調、十二月の方は戦史発掘といふ、比較的冷静なアプローチがたちまさる。まあ、当然のことであらうが、季節の寒暑にそれぞれ応じてゐるところが、偶然とは言ひながら象徴的だ。

もつとも、中には十二月にも反戦集会を開く一辺倒の「市民団体」もある。これはＮＨＫの「おんな太閤記」と同じだ。歴史とは無関係のたかが娯楽物だと言つてしまへばそれまでだが、北政所こと「おねね」さんはまるで反戦市民団体の会長みたいである。

彼女が陰で糸を引いて小早川秀秋を徳川方に寝返らせ、〝天下分目〟といはれた関ケ原合戦の勝利を徳川に与へ、秀吉と一緒に粒々辛苦して築き上げた豊臣の覇権を自壊に導く、その心は、「平和と統一」だとあるから噴飯ものだよ。これは戦国女性がいかに苦しんだとしても、有りうることではない。反戦平和の観念が打掛おすべらかしで政局を操る妖怪変化物語だ。

●陰で糸を引くといへば、東京新聞十二月七日付で、四年前にエール大学で発見された日米交渉前史の資料を大々的に紹介したのは正しい姿勢と評価できるかもしれない。交渉が始まる前に日本へ来たウオルフ司教とドラウト神父、産業組合中央金庫井川忠雄理事、イギリス情報機関ワイズマン卿、これらの面々の暗躍がいかなる構想の計略で、歴史にどんなかかはりをもつたか、これを厳密に詰めてゆくのは炬燵の中での物思ひ、反戦大会は夏のこと、夏のこと。

烏を鷺と言ひくるめ

（十二月二十八日）

●つりがね池に小鷺が舞ひ降り、子供が流した簀子の上にピンと立つて、澄んだ水面を眺めてゐる。

頑迷先生「ああ、鮮烈なる、まさに寒鴉とやいはんか」

脳軟学生「あのう、鷺は白くて鴉は黒羽だと聞いてゐますんですが…」

頑迷先生「アホタレ、鷺※を鴉と言ひくるめるのが教師たるものの役目なんぢゃ」

〈ヘン、陽光背に射さば顔色黒く、また面を照らせば白し、なあんてなこと、秘伝〉

脳軟「澄んだ水面…とおつしゃいましたが、見たところ池は濁つとりますなあ」

頑迷「濁つとると、そは汝の眼の濁れるなり」

軟「本当かなあ、こなひだ、精密検査を受けて健全の太鼓判捺されたばかりなのに」

頑「その医者を籔井竹庵といふのだ」

軟「先生、言ひたいことをはつきり言つて下さいな。〈言へねえんだらう、チェッ〉

頑「さうか、ふやけた奴にしては増しだ。それぢゃあ、言つてえ、きかせうかい」

〈舞台、ゴットン、ゴットンと回転し、大詰、池の端大立回りの場、頑迷先生、抜身大上段〉

〽天は二物を与へずとかや、琴の音いかに冴ゆるとも、からすは所詮さぎならず、白と黒との染め分けはあ、天道さまの思し召し、水を濁ると見なせしは、おのがまなこの濁りなり、えい、そこな下郎うじむしども、目障りだ、ドケドケドケい、金満名声ほしくばとれ、うぬらの素首たたつ斬り、冥土のみやげにぶらさげて、閻魔にホイとくれてやらあ。

〈幕の陰、歳末、こりゃ、ちくと呑み過ぎかいな〉

※藝大教授海野義雄のガダニーニのバイオリン鑑定書偽造事件、十二月八日逮捕。

昭和五十七年

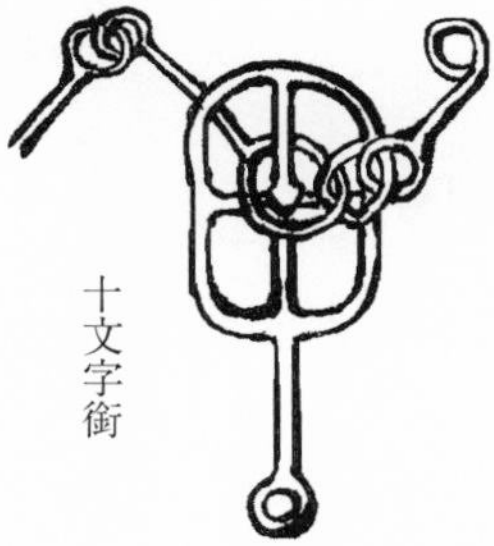

十文字銜

ゼロ歳とは人間さまの齢に非ず

（一月四日）

●一茶作、元旦の句を。
這へ笑へ二つになるぞけさからは
生まれて四ケ月の孫の八潮子、汝は決してゼロ歳でないぞよ、明かに第二年目をめでたく迎へた以上は二つなんだ。「這へ笑へ」、さあさ「這へ笑へ」。
中学の同級生会が銀座のおでん屋で開かれた席上、数へ年で人の話をしたら医学者が、「当節、数へ年で物を言ふ人間がゐるとは」と、いかにも時世に合はんと言ひたげな眼付で此方をしげしげ見たんで一発お見舞申した。
「或る人の年譜を作るとする。生れた年の下に0歳とは書かないよ。必ず一と書くんだ。歴史では人物の年齢を決して満では記さない。誕生月日がはつきりしてゐなければ満年齢記載に正確を期することは不可能だし、表が作れないからだ。満は生理年齢、数へは人文年齢、よつて、吾儕《わなみ》は数へ年に拠る。ゼロも数の中だが人間にゃあ向かんよ。馬齢つてやつさ。」
●昭和五十七年の干支は壬戌、今より一千八百八十一年前に成るところの説文解字によれば、壬は北方、戌は西北方にして、殊に戌は戈《ほこ》に利刃ある象なりと。物騒な「えと」だよこりゃあ。古代漢民族は朔北の騎馬民族を恐れること甚しかつた。だから、攻めてきた北敵を撃退すると、「にげた、にげた」と手をたたいて喜んだ。それで北の字は逃げる意味と化し、敗北なんてことばも生まれたんだらう。壬戌はいはば警戒警報発令つてわけである。慎まざるべけんや。要するに今年は万歳呼んでポンポンなんて、浮かれる年ぢゃないといふ事。

布引丸事件とよく似たケミカルタンカー「へつぐ」の怪しい動き（二月一日）

●いまを去ること八十四年、明治三十二年の某月某日、布引丸といふ二千トン級のおんぼろ貨物船が清国向政府御用船と称し税関尻目にノンチェックで長崎を出港するや一路南へ舵をとつて去つた。まもなく、此の船は東シナ海で大時化にあひ沈没してしまつたと伝へられた。

　布引丸は清国でなくフィリピンをめざしてゐた。船籍もあいまい、乗組員には軍籍を離脱した元陸軍将校が交り、積荷は銃器弾薬といふ物騒な怪船だ。その武器はアギナルドの率ゐるフィリピンの独立ゲリラ部隊に供給すべく、日本軍当局がひそかに払ひ下げたものだとのこと。しかし、同船が沈没したと伝へられる日時の東シナ海に暴風雨はなく、積んでゐた銃は日清戦争で使ひ古した廃品まがひのものばかり。おまけにこれには悪徳利権屋の暗躍が介在するといはれてゐる。この利権屋、姓は中村、名は弥六、林学博士の肩書で司法次官までのしあがつた灰色の濃い高官である。まぼろしの布引丸、その謎はまだ解けてゐない。

●ゲリラに武器を渡すためダバオ沖のサマール島に接近したとの理由でフィリピン空軍機から銃撃を受けたケミカルタンカー「へつぐ」にも怪しい霧がかぶさつてゐる。同船の竣工直前に倒産した伊予来島の造船所、その用船契約を手放したノールウェイの運航会社オトフエ、事務所も電話もない高知の幽霊会社大一商運、実は北日本大井海運のダミー、もぐりで乗組員を周旋した大阪のマニング屋、そして、「へつぐ」の三角貿易、今度はフランスを出てリビアでメタノールを積み、シンガポール、スラバヤ、釜山、神戸の順で航行の途次だ。はたして積荷に武器は……

国会の質問応答は雪隠猫のニャーオ

（二月十五日）

●人間万事虚誕計つてえ本をご存知か。これに、「※雪隠《せっちん》へおちた猫《ねこ》ぢやァねへが、どふせつかめへどこはねへ」てなことばがあるよ。国会での野党質問、政府答弁、どれをとつても雪隠猫みたいなもんだ。

野党「減税して賃金上げて反核運動の費用にしてはどうか」

首相「千億や二千億では効果がありませんし、一兆円となると財源がありませんし、まあ、いづれナントカ…」

蔵相「増税絶無では財政再建はお約束いたし兼ねますんで……」〈どつちがどうなんだ〉

野「憲法を守り、防衛は領域内、水際防衛でなければいかんが」

政「縦深性のある防衛が大事です」〈鹿児島で北海道を守ると言ふんかね。東西に縦深をとると、どえらく遠くへ防衛線が出ちまふよ〉

●水際防衛戦闘なんて全然無意味なのであります。かの大戦争のみぎりにも、軍は水際防衛で断然敵軍を撃退してみせると豪語し、国民に大声でそれを宣伝して安心させようと致したのでありますが、Ｂ29はすいらすいらとわが領土上空に侵入したではありませんか。政府も野党も、「水際防衛」なんぞといふ唐人の寝言をやりとりして議事堂の電燈代を無駄遣ひしないやうに、協力して経費節約につとめてほしいものであります。

公海空、領海空、水際、本土などといふ源平時代さながらの防衛戦略作図用方眼紙は破り捨てておしまひなさい。防衛庁あたりはみんな知つてゐながら、雪隠猫をきめこんでゐるのではないのですか。

※便所のこと。西浄（せいちん）の替字かといふ

「申告もれ」とは「申告もらし」の偽名

（三月十五日）

●三月十五日、国税の確定申告と納入の日である。極めて零細ながら、小生も確定申告者の一人なんである。申告書は女房どんが書き、郵便で送つて銀行から引落してもらふ。税務署なんかへは行かない方がいい。もう随分長いこと此の方法でやつてゐるが、あんまり零細なので、税務署め、バカにしょつてか、なんにも文句を言つてこない。

　ある年のこと、小生監修といふ形で一冊の本が出た。執筆者は二十人ばかりだつた。初版の印税を分配するにあたり、一人の分が革靴一足分位にしかならないので、「えい、面倒なり」と小生が一括受取り、皆バラまいてしまつた。さうしたら税金も一括して此方へかかつてきた。稿料を取らない小生は無収入分に課税されたわけである。かしこい人間のするこつちゃあないなあ。

●脱税、これに「申告もれ」なんてえ不正直な言ひ方がある。正しくは「申告もらし」なんだ。いかにして所得をごまかし、いかやうに経費を多く出すか、これが税務署との勝負らしい。税務署もさるもの、さうはさせじとネチネチ迫る。胸糞の悪い手合せだよ。だがこの駆引、何千年前からかは知らないが、およそ租税といふものが設けられたそもそもの始めッからスタートを切つたものなんで、その根の深いこと、測り知れない。とこしへに「いたちごつこ」を続けるが此の世のさだめだ。小生、こんな駆引は大嫌ひだし、する力も無いから、僅かでも収入があるかぎりは、決められた通りに税金納める。脱税に愛き身をやつすほど暇ぢゃあないからな。

造成とは破壊の異名

（三月二十九日）

●関泰祐訳詩集「風の菩提樹」をのんびり開く。
デーメルの「ひそやかな生」が出た。

春になつて、靄《もや》がこめはじめると―
　村の池で――
ある晩、コロ
　一番蛙
コロ、クル、二番蛙
そんなふうにつづいて
おしまひには
コロ、クル、コロ、クル
蛙どもの上に
日光がけぶり――
けぶる日光のなかを
瑠璃色の蝶が静かにとんで
　ゐる――
めでたや――

ドイツの詩だが、わが「つりがねの里」も同じ春を迎へた。啓蟄の夜更、寝床の中でコロ――が聞こえた。いいなあ。

●しかし、来年はおもちゃの蛙が電気仕掛で声を出すつてなことになるかもしれん。つりがね池はいま、パイプ注水して涸れつこなしの人造池に変へられつつある。ブルトーザーやミキサー車が朝早くからガアガアうなりどほし、水は乾され、底は掻きむしられ、やがてはゴムが敷きつめられる。あゝ、造成とは破壊の異名、民衆への福祉サーヴィスとはゴミ投棄、木の枝折り、草花むしりへの招待、文明の成果を野蛮に無償供与する儀式にほかならず。くそッ。

ミッテラン大統領の語り口

（五月三日）

●フランス大統領ミッテラン氏来訪。当然、ニュースの洪水、インタヴューのべちゃくちゃ。老生、新聞狂でもテレヴィ病患者でもないから、大統領夫妻のあとを目で追ひかけまはす気持もなく、ただ一度、宮中正餐での食卓演説を聴くにとどまつた。

　この人物の語り口は、やや硬質である。情緒にとぼしい。しかし、それなるが故に論理が練れてゐて隙が無い。特に、フランス文化が日本文化とは構造、性格を異にするものであることを明言したのは評価さるべきであらう。もつとも、どこがどう違ふかは、請ふ、日本人みづからが考へよ、といふところか。

●ミッテラン氏は、フランスの本領は科学技術にあり、その実用化たる工業生産にありとの自負心に溢れてゐる。このことは、日本人の通俗フランス文化観がいかに皮相浅薄であるかをあざわらふが如くである。フランスに旅する日本人の不心得をたしなめるが如くでもある。つまり彼は、一流の論理をあやつつて日本人を教育しにやつてきたやうな印象を受けるのである。やはり社会党だなあ。

●実際、パリの街をうろついてゐる日本人を見るフランス人の青い眼は冷たいやうだね。日本人自身、おたがひに冷評的な眼付でジロリと同胞を見返してゐるんだから当然のことだらう。だから、時にはミッテラン氏のやうな外人教師がやつて来て、やまと島根の民に一喝をくらはすのは歓迎すべきことである。西洋の鐘は内側から鳴り、日本の鐘は外側から撞かれて鳴る。

――岡倉天心

「諸国民の公正と信義」を夢見たい

（五月十日）

●サンフランシスコ条約（対日平和条約）が成立してから三十年。東京新聞の社説は冒頭にかう書いてゐる。

　メード・イン・オキュパイド・ジャパン。それほど多くもなかつた輸出品につけられたこのマークを、おぼえてゐる人も少なくなつた。なにせ、一世代前のことだ。

まつたくねえ。

　ところで、輸出品にこそ「オキュパイド」の銘は見られなくなりはしたものの、国内品には沢山残つてゐる。第一に、憲法がさうだ。教育制度がさうだ。数へ立てればきりがない。同社説はやはりそれが気になつてゐるとみえて。

　この憲法が占領当局の意向を強く反映してゐることは事実であり章句に適切を欠くところがあることも否定できない。

としながらも、「だがそれを貫く平和、不戦、国際協調の精神は、地球社会の理想そのものに外ならない」と謳ひ上げ、「諸国家の連帯を強め、公正と信義に信頼して豊かな地球社会をめざすことに重点を置くことが、認められぬわけではあるまい」と述べてゐる。なんとも歯切れのよくない苦吟、どこかの教会で牧師がバイブルを片手に天上をゆびさしてゐる姿を彷彿させるぢゃないか。

●アルゼンチンとイギリスの確執、いつたい、どうなつてるんだらう。これも近頃歯切れのよくない紛争ですなあ。いくら地球社会志向でも、ちくと遠すぎてさつぱり分らん。どうせ大型連休だ。横になつて眼をつむつて、「諸国民の公正と信義」の夢でも見るとするか。

造り酒屋を飲み屋と間違へて世話になつた野州烏山の一日（五月十七日）

●野州烏山といふ処、まだ足をふみいれたことがないので、ふと思ひついて行つてみた。孫の鮎子を一人前に数へて同勢五人。

　この地は宇都宮の東およそ七里、那珂川の右岸台地を占める一要害、毘沙門山、烏山と続く古城趾のねきにある三筋の小市街だ。古豪那須一族ゆかりの土地で、領域およそ三万石、享保以後は大久保佐渡守の采邑であつた。鮎にはまだはやいが、何か口に合ふものでも食べようと、ささやかな期待をかけておもむいたと思はれよ。

●町の中心、仲町の辻へ車を乗入れ、さて、小料理屋の一軒もあるかとキョロついたが、無い。車を少し進めてみたら、目に入つたのがさる豪荘な店構へ、紺暖簾のかかる正面、その脇のショウウインドウには酒瓶が並んでゐる。ズイと暖簾を押し分けて土間に入り案内《あない》を乞へば、帳場からにこやかに迎へてくれたのが一人の美青年。

「昼食をしたためたいのだが」

青年、かしこまつて答へる。

「ええ、うちは造酒屋でございまして、食事は差上げられませぬ。しかし、折角のおいでです、裏の酒倉などご案内いたしませう」

ときたね。これは失敗。青年に教はつて、新店の料理屋へ移る。ちなみに、造つてゐる酒の銘は東力士《あづまりきし》。料理屋でこれを注文し、柳川を肴にチクと一杯、ついでに持つてこさせた塩辛は浜藤伝の酒盗で明かに仕入品だつたが、鮎子がペロペロやつたにゃあ驚いたね。まだ四つだよ。

●東力士を胃の腑へ入れて毘沙門山へ登り、麓の八雲神社に詣で、参道のゴミ退治をして帰路につく。

上総鶴舞を訪ねて

（六月七日）

●鶴舞といふ、丘の上のもの静かな小さい町を訪れた。千葉県市原市に属す。もとは「梶木ノ台」または「桐木ノ原」と呼ばれてゐた草深いゐなかだ。明治のはじめ、遠州浜松六万石があわただしく移つてきて、丘のひろがりを鶴翼になぞらへたことから鶴舞の雅称を負ふに至つた。

　鶴舞藩は僅か二年でご破算となつた。しかし、藩校の克明館へは近隣の小藩子弟が陸続と笈を負うて来り学び、当地教育の礎石がすゑられたのである。学生数は七百人に達したと伝へられる。克明館に多少の因縁をもつ者の一後裔として、一度は行つてみたかつたのだ。

●茂原に一泊なしたるその翌朝、笠森観音を経て鶴舞に入れば辻一ケ所の小さな城下町、公民館と並ぶ小祠は克明館校舎のあつたところださうな。そこより小学校へ。このあたりが藩主井上河内守の館が築かれた陣屋跡だ。

　校内へ入ると、児童がこちらに向かつて「今《こん》日《にち》は」と頭を下げる。いいねえ、此の学校にゃあ、「センコウ」なんて怒鳴る餓鬼やゐなかんべえ。校庭の境には茶が植ゑてあり、大勢の児童が先生のもとでお茶摘みをやつてゐる。地べたに計量器が置いてあり、「私は何グラム」なんてやつてゐる。仕合せな子供たちだなあ。崩れ残れる土塁のそばに椎の老大樹あり、それが藩邸時代からの樹木ださうだ。

●小学校は明治六年創立、昭和四十九年に「鶴舞小百年の歩み」を記念出版した。親切な校長さんからそれを贈られたので開いてみれば、「町ぐるみでいはゆる城下町としての品位」を伝へ続けていきたいとある。たつた二年の縁なのにと、低徊しばし去る能はず。

日本には六十五人に一軒の割で飲食店があるといふ説（六月二十一日）

●世の中には物知《ものしり》博士がゐるもんだ。大阪のあるクラブで、こんな話を聞いた。物不知《ものしらず》博士は驚きの目で相手を見詰め、耳をそばだてる。
物知博士「日本にはいま、飲食店が百二十九万軒ある。これは、灰色高官の常用する高級料亭から、ミーハー連の常用するラーメン屋、立喰うどんに至るまでをふくむ。人口比をとつてみると、およそ七十人に一軒、この七十人から老人や、ながわづらひ、乳幼児などを差引くと、およそ六十五人と相成る。

　これに比べて諸外国はどうかといふに、イギリスでは千二百人に一軒、西ドイツでは六百人に一軒であるからして、わが国はその十倍から二十倍は飲食店がはびこつてゐるわけである。これではとても共存共栄は無理だから、遠からずしてバタバタ倒れるであらう。

　なほ、都市の一定区域、たとへば百メートル四方の中に喫茶店と理髪店が何軒あるかを調べるならば、それが多いほど国は危いのである。何となれば、両方とも無駄話の会場であるからだ。むだつぱなしが多い国は衰へるものと相場はきまつとる」

不知博士「ふうむ」
●飲食店がベラバウに多いことと、家庭で心のこもつた飲食物を作らなくなつたこととは密接な関係があるな。どちらが鶏でどちらが卵ともわからないが、小学校時代から給食の名前で外食のくせをつけるんだから本当は国が外食奨励政策を進めてきた結果といへるかもしれんて。

東北新幹線はＮＨＫに頭が上るまい

（七月五日）

●東北新幹線開通。いやあ、大変な煽り景気でござんすなあ。その先頭に立つはＮＨＫ、早朝からカメラを四方八方に配置して獅子奮迅の大応援大報道だ。あいにくの曇天でヘリコプターが飛ばせず、「ええ、音声や映像の乱れがありましたことをお許し下さい」ときたね。

ＮＨＫは国鉄お抱への宣伝部でござい。赤字に苦しむ国鉄としてはまさに百万のお味方なるぞ。

梅雨の道奥《みちのく》を「やまびこ」が通る。緑の田園を、北上川のほとりを、ＮＨＫを乗せた新幹線が走る。

●もう、十年近くも前のことになる。仙台七夕祭りの終るころ松島で開かれる会合に参加するため、東京をいでたつた。殺人的混雑を恐れて前の日は水戸に一泊、黄門さまの遺徳を偲んでその翌朝、ぶらりと駅へ行くと、折から正に発車せんとする下り仙台行臨時急行あり、やれ、ありがたやと乗りこめば、中には乗客ほとんどなく、四人分の座席をゆつたり占領。列車はゴットン、ゴットンと動き出した。これなん正に鈍急である。「臨時」の悲しさ、平から単線の磐越東線へ入ると、向うからやつてくる各駅停車に道を譲るためながながと待つ。郡山では四十分とまり、やがて福島到着。乗客は皆降りてしまひ、小生唯一人。こりゃあステキだぞう、と喜んでやをら読み物などを展げてゐると、車内掃除のをばさんが入つてきて、「さあ、早く降りなさい」と怒鳴る。「いや、仙台まで行くんだ」と頑張れば、「だみだ、この車は此処で五十分停つて、そいから別のホームへ移つて、そいから各駅停車になつて仙台へ行くんだ、降りれ」――のんきでよかつたなあ。

梅雨感懐

（七月十九日）

●梅雨――といふのは、梅の実が黄色に熟するころ降り続く雨のことだと、物の本には書いてある。風雅だ。

　このところさつぱり雨が無いので、さてはまた渇水騒ぎが起るかと、心は二人の孫を抱へて洗濯に追はれる娘一家の福岡の宿に。あそこはつい先年も時間給水で苦しんだ。そこへ、雨だ。気持が落付く。机によりかかつてシトシトの音を聞いてゐるとリリリン。福岡から電話、孫の声。ふしぎなりや、これなん正に冥合。

　冥合といふ熟語、大槻新言海に見当らず、ハテ面妖な。いぶかしやな。

　久しぶりに西行法師の詠など。

　　雨のうちに郭公を待つといふことをよみける

　ほととぎすしのぶ卯月を過ぎにしを猶声惜しむ五月雨の空

西行は郭公の声を待ちわびたが、こちらは孫の声だ。「ほととぎす」を「まごのこゑ」と入れ替へれば結構、歌になるさ。え、ならない、まあ、面倒なこと言ひなさんな。

●梅雨にはまた別の解釈がある。すなはち梅とは同音の黴なり、カビなり、長雨で物にカビが生えるからだといふ。あんまり風雅ぢゃないなあ。しかし、物ならまだいい、人間にカビが生えるやうになつちまつちゃあ、仕様がないやね。

同じく西行の「雨中時鳥」

　五月雨の晴間もみえぬ雲路より山時鳥なきて過ぐなり

サッとした気合だ。これこれ、山時鳥にゃあカビは生えまい。

「国の名誉なんてくだらない」と叫ぶ女どもの下劣（八月二日）

●腹を立てることは健康的であるか、はたまた病的であるか。老生は新聞を腹立ちの資料だと心得、御機嫌うるはしい時には新聞なんか読まず、テレヴィ、ラヂオのニュースなんぞ聴かず、ムカムカしてきたとき、はじめてそれらを読んだり聴いたりするんである。つまり、ムカッパラのヴォルテイジをいやが上にも高めて士気を自ら鼓舞するためのスウィッチが報道といふやつなのだ。これは健康的であらう。いかがでござるな、御同役、ギョロリ…

●※フォークランド戦争について、向う岸の火事をながめてヤイヤイ騒ぐ野次馬よろしく、新聞の投書ははなはだにぎやかである。イギリスは国家の栄光のために、火の車の台所を横目にしながら七千マイルの南半球へ艦隊と陸兵を送り、アルゼンチンをやつつけた。しかし、数百の若者はそのためにあたら尊い命を落した。

国家民族の名誉のためには多少の人命損害はやむをえないといつた意見に対し、学生（若き庶民）や母親から猛烈な反発が噴きあがつた。国の名誉なんてくだらないものと庶民の生命とを引き替へになどできるかつてんだと若者は毒づき、いえ、私は銃をとります、それは国なんてもののためぢゃない、わが子が身の危険にさらされてゐるやうな時、妾は銃を執つて愛児を護るのですと、おかあちゃんはキイキイ叫ぶ。要するにこのたぐひ、すべて安全地帯にあぐらをかいた野次馬、野次猫のたぐひにすぎない。

●いづくんぞ知らん、その庶民学生がこの過保護かあちゃんをいつかなぐつてやらうと、物騒な心理状態であることを。十人に四人がさうだとさ。

※アルゼンチンとイギリスの戦争（四月二日～六月十四日）

坊主憎けりゃ袈裟まで憎い——教科書外圧問題

（八月九日）

●※長崎の豪雨禍、これはひどい。死亡、行方不明は三百人にちかく、河川氾濫、山崩れ、まつたく目も当てられない。

　去年の夏は夫婦で長崎に旅し、ジリジリと照りつける陽光と炎熱の中で汗をふきふき史蹟をめぐつた。細い海湾に迫る丘陵、海と山にはさまれた狭い平地、谷の奥から丘の上まではひあがつた住居、これで地盤がゆるんだひにゃあ危いなあ、と思つたことだつた。亡くなつた人々を悼む心はせつない。

●教科書検定の「右傾化」を非難する声は去年からずうつと続いてゐるが、ちかごろは外国の新聞までが検定攻撃を始めたやうだ。ソウルの東亜日報、北京の人民日報から新華社通信、はてはクリスチャン・サイエンス・モニターといつたアメリカ紙までがこれに参加、おまけに同紙はイギリスでも日本の教科書が自国の悪業、侵略をかくさうとつとめてゐると批判があがつてゐることを伝へてゐる。そしてたうとう、事は外交問題にまで発展した。さて、どうなさる、文部省殿。

●歴史教育は歴史学に基づかねばならぬ。歴史学は因果の小車、変化の実相を見究める。目に見えぬ糸の緒を探つてずるずると隠された事実を引き出してゆく。この眼力を養ふための初歩訓練を歴史教育といふ。それを注釈するのが歴史叙述なのだ。戦争にともなふ犯罪は目に見える。しかし、戦争そのものの犯人は隠れてゐる。近代戦における侵略者は誰だ。先に手を出した方か、出させた方か。むづかしいところだ。現実の戦争被害を教科書を通じて一国民に永久に賠償させるなんぞ無用の事と知るべし。

※七月二十三日、九州北西部と山口県下に豪雨災害

取材面会強要撃退法

（八月三十日）

●食事がやうやく終つた。近頃もらつた冷酒の吟醸香にむせて、やをら碁石でも並べようかと思つてゐるところへ、リンリン、リン。

亭主「もしもし」

電話「○○の社会部です、ちょつと確認をとりたいので、お宅まで行きたい。」

亭主「だめだ、ことわる。」――ガチャン。――

夜十時半ごろ、長々と寝そべつてゐると――

靴音「ご免ください、○○社会部」

女房「おことわりしたではないですか、お帰りください」

靴音「いや、ほんのちょつと」

女房「ダメッ」――ピシャリ、扉に施錠――

靴音「ごめんなさい、ねえ、ごめんなさい……、……、………」――この間約十五分。

女房「なあんといふ失礼、安眠妨害、人権じうりん、一一〇番しませうか」

亭主「ほつとけ、向うさんは『ごめんください』つて詫びを言つてるんだ、極めて慇懃、かつ丁寧にな。あやまつてゐるものを邪険に扱ふことあないさ。そのうち、謝りくたびれて帰るだらう」

女房「しぶといのは、どつちなんだらう」

●「夜討ち、朝駆けは記者の特権」

「はめて落とすのは記者の腕」

「相手が泣いてもアッカンベェ」

「間違ひだらけも知つちゃあゐねえ」

「上品ぶつちゃあ仕事はできねえ」

「国益言つてちゃ記事売れぬ」

右、社会部六訓。そして、本音の本音は「有力なバックの代弁者たれ」なんだよ。

「日本は切取強盗」の大合唱

（九月六日）

●わが大和の国はいまや世界史の罪業を一身に引受け、巨大な十字架を背負つて石ころだらけの坂道を刑場へと歩かせられてゐる。偉大なる日本国民よ、汝は今、総ての国の悪を裁くことのできる唯一の存在にならうとしてゐるのだ。

●「わたしの国は侵略を事と致しました」とはつきり言はない鈴木首相に、批判、攻撃が浴びせかけられてゐる。国内の大新聞、テレヴィ、週刊誌その他もろもろ、一斉に声を揃へて隣国の先兵を買つて出で、政府以外は総て外国みたいになつちまつた。マスコミは自分の国を「侵略者」ときめつけるのに役立つ事ならどんなに小さい集会のつまらん発言までも大きく書き立てる。第二次極東軍事裁判にかけられた※「被告人」歴史教科書、汝には弁護士はつかんのか。法廷には検事の論告求刑がかまびすしいだけで、弁論の声は蚊のなくほども聞こえない。あゝ、残暑はきびしいなあ。

●その昔、尾崎行雄は「墓標に代へて」と銘打つた長大な論文をアメリカから日本の総合雑誌に送り、これが発表された後に帰国した。その論文は冒頭に彼の歴史観を展開し、総ての国家の歴史は「切取り強盗」の記録であると断じた。日本も勿論、その例外ではない。ないどころか、彼のもくろむところは昭和日本の大陸政策批判にあつた。尾崎の乗船が日本に近づくにつれて、彼の生命があぶない、ただでは済まないといつたささやきがあちこちに不安の種を播き散らした。しかし、彼は無事に上陸し、暗殺されなかつた。いまはその逆である。日本が「切取強盗であつた」と言はなければ村八分をくふ。命も危ない。まつこと、有為転変といふのほかはない。

※日本の歴史教科書検定が「大陸侵略」を「進出」と改めさせたとする新聞の誤報を非難する北京の声

霧の海（広島県三次）への旅の味　（九月十三日）

●鼎の沸くやうな教科書問題に釘付けにされて、東京の一角から離れることのできなかつた老書生、やうやく女房どんと手に手をとつて西国の旅。

広島に同窓の友人を訪ね、翌朝は彼の好意で車の提供を忝うし、これさいはひと乗りこむや一路北へと七十キロ、太田川の流れに添うて走る車窓の風景、いいねえ。

川中にのんびり浮ぶは鮎釣り人の笹小舟、一艘、二艘、五、十、ありゃあ、随分たてこんどるなあ、釣れてますかい。

●山路へかかり、太田川に別れを告げて分水嶺を越えれば可愛川、とはまたいい名だねえ。流れは逆に北へサラサラ。途中、毛利氏由縁の吉田庄は郡山城の森を過ぐればはや目的の三次《みよし》盆地へと入りにけりポポンがポン。

●以前から一度は来て見たかつた三次の地、東南東から流れくる馬洗川、北より下る西城川、これが合して可愛川とまたつながる巴形の合流点、これより西北西への流れを江《ごう》ノ《の》川《かは》と呼ぶ。三川合流の要害に包まれた一角が三次の町だ。

浅野内匠頭の正室は此の地を領した浅野分家の出で、比熊城址の南角に建つ鳳源寺には彼女の遺髪を納めてあるし、大石良雄が植ゑたと伝へる桜の老大樹もまだ枯れてはゐない。西條八十作の三次小唄。

〽わたしゃ三次の鵜飼の娘　胸のかがりでねむられぬ　男だてなら泳いで越しな　三次自慢の霧の海

三次は美しい霧海、東京は五里霧中。

二百二十日の嵐を衝いて女房どんのお出掛け

（九月二十七日）

▲北京とソウルが歴史教科書を通じて猛烈にしかけてきた日本攻撃はパタリと止んだ。そこへ、北上を続けてゐた台風一八号が東海道は藤枝のあたりに上陸を敢行、わが領土を縦断し、北海道をすぎたところで解散した。その翌九月十三日は一点雲なき初秋の快晴、清々しさ此の上もない。

▼この台風、昔から二百二十日と呼ばれてゐる。上陸した十二日はまさに元日から数へて二百二十二日めだつた。もし二日前なら教科書攻撃風の止んだ翌日といふ具合で、もつと因縁めいて来るわけだが、さうは問屋が卸さない。

　新聞にはこの台風を「サンデー台風」なんて呼んでゐたが、仕様がないねえ。二百二十日つてえ歴とした名前を知らんのかなあ。

▼この日、女房どんは高女の同級生と孫さんが踊りの温習会にご出演とかで、その声援をするため朝つから和装でくにゃり〱とお出ましときた。新幹線での東上組も数人ありとか。ご苦労様な話だよ、全く。なんでも、折詰弁当を百人分も買はされたんだから、一人で三人前も食つてもらはにゃあと、老舞姫は大張切りださうだから、いまはた、何をや言はんやだ。

▼独りボッチの老書生、つらつら天下の形勢に想ひをいたし兼ねて観天望気にいそしんでゐるとき、雨足とみに速くなり、台風の周縁雨域に入るを知る。昼食はおむすび三個、まさに臨戦態勢だ。一五〇〇、雨は急にやむ。一七三〇ごろ、台風は御前崎附近に上陸、速度やや増し四五キロ、つりがね郷に強風の吹き始めたは一八一五、凪いだ時刻二三三〇、老生の計算に誤差少々。天下の形勢を測る、誤差ばさらに大きいやね。

恩師夫人の喪に間に合はなかつた門人

（十月十一日）

▲山口市まで行かねばならぬ用事があつて、いざや出発といふ時、恩師夫人かつ媒酌夫人急逝の悲報が入り、と胸を衝かれて立ちすくんだ。恩師の家は福井県南の山の中、はて、西せんか、北せんか。思案にくるることしばし。

　やをら気をとりなほし、臍下丹田に力をこめて西を選んだ。大切な用件、亡き奥さまにもご勘弁を願へるであらう、用済み次第おくやみに参上と思ひ定めて旅立つた。

▲山口からの帰途、二時間ほどのひまを作つて市内の史蹟をおとづれた。彼の大内氏が西国の京と自画自賛したこのところ、さすがに良い環境である。大正期洋風建築の県庁を左に見て北へ曲れば瑠璃光寺、周防の守護代陶《すえ》弘房の妻が夫の菩提をともらふため発願建立した安養寺の後身、そのすぐそばにある旧香積寺五重塔は泉州堺で討死した大内義弘の慰霊塔だ。各層の反り屋根は流れ且つ舞ふが如く、重厚な軒垂木《のきたるき》に支へられて自在である。恩師夫人の美しさにも似たものぞと、感懐これを久しうした。

▲帰京してから又出発、関ケ原、敦賀、武生、福井へと飛んで九頭龍川の上游は勝山在、亭々たる杉並木の奥へ進んで師家に参じ、お写真を拝んだ。なんと、三十八九の婉麗なる丸髷姿。師のたまはく、「私は昔、ギリシヤに遊び、大理石の人像を数多く見たが、総てその人の一番めざましい時の姿を写してあるのに感動した。そこで、家内の遺影は最も美しい時のものを選んだのだよ。年をとつてからの姿は、やはりよくないからね」――門弟、絶句しつつも、教訓として胸深くたたみこみ、静かに退去す。

景気は冷え込み「励ます会」は花ざかり

（十一月八日）

●はや霜月、毎朝の冷えこみが痩せつぽちの身にこたへるわい。今年はどうも、ちと、寒さの足が速い。ふるへながら食堂の窓外をながめる。珊瑚の小粒を房にしたやうな「うめもどき」と、葉は少しちぢれてきたが、それでも残る赤い実が美しい。尾長や鵯が食ひちらかしに飛んで来る。窓下には落葉—

●景気の冷えこみもひどいさうだ。タクシーの運転手が四万円もの料金を払はずに逃げた客のことだの、小料理屋で会費五千円の宴会をやつた二十人あまりの会社員の一団に食ひ逃げされた主人の話だのを延々と続ける。熱いのは政界だけか。

●赤坂界隈の大ホテル、こりやもう大変だね。世間知らずの老書生、小型の屋根に山形の標札を付けたおんぼろタクシーでその方へ乗り入れようとしたら、もうだめだ。大型の黒セダンが延々として前方に連なり、止まつたままでメーターがガサリ、ガサリ。この野郎ッ。心は矢竹とはやれども、身動きならぬ此の場の仕儀、これなん正に弁慶ならぬドン・クイホーテの立往生だ。

　やうやくホテルの玄関に着いたらば、大きな声で有名な芸人の車を呼び出してゐる。ハハーン、「励ます会」はアトラクション付きか、その費用はしめて幾千万円、とはなさけなや。ことはつとくが老生、そんな会に出席するために来たんぢやない。「己れを励ます」自費独宴、兼ねてたまには熱つぽい情景を眺めながら、これを肴に一杯やらうといふまでなんぢや。この肴、ちつともうまくない。うまかあないが、「哀れ」なるが晩秋の風物詩。

石橋降りる、飛鳥田も降りよ

（十一月十五日）

●何とか書けさうだと、つい軽い気持で引受けた論文がどうも書けない。一行、二行、なあんだこりやあ。ビリビリ、クシャクシャ、パツ。紙屑籠はみるみるにぎやかになる。

　窓外をうつろな眼でみやる。緑の葉の茂る中に淡紅の花をつけた山茶花が、強さうだ。

〽サザンカ、サザンカ咲いたみち
　焚火だ焚火だ　落葉たき
　あたらうか　あたらうよ
　しもやけお手手がもうかゆい

●社会党の石橋副委員長が降りるといふ。そりやご自由だ。ついでに、飛鳥田委員長、いやさ、アッチャン、お前さんもついでに降りちやあどうだ。これは冷酷な気持ぢやない。五十年以上も前に中学の仲好し同級生だつた老友の切なる忠告だよ。

あれは、昭和四年の夏休みだつたか、同級生数人で富士登山をしたことがあつたつけなあ。お前さんは足が不自由なので、馬をやとつたのを覚えてゐるか。夜の十一時、馬上ゆたかに先頭をゆくアッチャンの後に、俺達はついて登つた。

　馬は、時々、立ち止まつてはあの歌の「北風ピイプウ」ぢやないけれど大きな屁をこきやあがる。さうかと思ふと、太い小便をシャアシャア出す。そのションベンが我々の足もとへ流れてくるんだ。しやくに障るつたら、ありやしない。あの馬は、きつと、病気だつたんだらうなあ。

　馬だつて、人間だつて、同じことなんだよ。アッチャン、もう汐時だよ。スッパリ政治をあきらめて、後世のため、静かにものでも書いちやあどうだい。

国鉄、郵政ともに末期症状

（十一月二十二日）

●国鉄上越線の特急「とき」の下りに乗つたら、満員の盛況で、指定車も通路に人が立ち並んでゐる。なんだかをかしいなと思つたら、本来は十二両のこの列車、グリーン一両と指定普通一両とを減らして寸詰り、これぢやあ、たてこむわ。いつからさうなつたかは知らんが。

　翌くる日また同じ「とき」の上りに乗る。今度は下りよりひどい込み様だ。それに、きたないねえ、車内が。おまけに、高崎までに十八分おくれ、それから、上野までに三十分近くも遅延した。

　車内放送はしきりと申訳ありませんを繰返すが、言葉だけぢやあ、仕様がないやね。いくら新幹線開通だからといつて、かうもお客を袖にされたんではしやくだよ。国鉄はいよいよ苦しいんだなあ。

　職員やその家族の無料パスだの回数券だのを制限するんださうだが、いかにも動作がのろい。とつくの昔にけりを付けてなきやあ、うそなんだよ。こんな過保護習慣は。

●郵便、小包なんぞも、着き方がおそいねえ。どえらく日数がかかるときがある。とても急ぎにや間に合はないし、小包の中味なんざあ、ぶつこはれて使ひもんにならんときがある。損害保障なんていつたつて、小面倒なばかりで要求する気にもなれん。

●鉄道だの郵便だの、明治のはじめには国がやらなければならなかつた。信頼もあつた。それがくたびれてきて、信頼度がた落ちになつちまつたんだから、誠実な民間にまかせる時がいよいよ到来したとあきらめて、公営国営からどんどん外しなさい。

書記長・次官補といふ訳語と実権との開き

（十一月二十七日）

●ブレジネフ書記長が「突然死去」との新聞報道、ちと間がぬけとる。もう前つからブ氏病気の推測が行はれてゐたぢやあないか。ソ連の行事に「あ、出てきた」とか、「顔が見えないぞ、さては」とか、外電はしきりに気をもんでたはずだぞ。記事といふもんは、前記事を正しくふんまへて作つてもらはにや読者に笑はれるよ。

●ところで「書記長」つてえ職名、あんな超大国の専制支配者にかぶせるにしては余りにも小さい感じだ。日本の共産党や社会党のリーダーぐらゐならそれもいいさ。しかしだよ……書記といふと、なんだか村役場の下ツ端みたいだねえ。

前にアメリカの国務次官補が日本へ来たとき、ほとんどの者が「官補」ぢや大したこたあない、まあ、いいとこ外務省の古参局長程度かなと誤解したやうだ。外国の首脳や高官の名称は直訳ではまづいな。正しくその国における地位を日本人にわかるやうに意訳してもらひたい。—外務省御中

●外務省様、ついでながらもう一筆。ブレジネフ氏が他界したからつてソ連の政略は急変しない。北京とソウルには電気毛布を贈り、日本には冷蔵庫を送りつけ、返礼にどんな品物が来るかと待つてる始末だ。教科書問題でいやといふほどやつつけられたあげくの果に、奥の院からは「北方領土返せだなど、ガタガタ言ふな」とばかり、ウオトカの強臭を吹つかけてすごまれたんぢや、日本も合はないねえ。一つ、モスクワの大葬式をしほに、緊褌《きんこん》一番してくれないか。

アンポンタンは大谷刑部が好き——母校六十周年の建碑撰文（十二月六日）

●戦後の教育改悪で圧しつぶされたわが母校の創立六十周年記念大会が静岡で開かれた。

　小生、かう見えても同窓会本部世話人の一人だ。女房どんを接待係の一員に加へ、研究室の若い二人に動員令を下し、まさに老骨一家総出の大サーヴィス。—あんまり利口ぢやあないなあ、これは。

●同窓生にもいろいろある。小生ごときアンポンタンもあれば、内閣総理大臣にならうてえ賢こい仁もござる。まあ、国家のため、国民のため、せいぜい奮闘してもらひたい。

　賢愚の別を彼の関ケ原合戦を例にとつていふならば、小生ごときアンポンタンはさしづめ石田方に味方した大谷刑部てえところかな、僅か数百の手勢を率ゐ、その身は重病に喘ぎながら輿に乗つての大奮戦、全滅するまで屈しなかつた。小生の好きな武士、これをなん、磊落男児と呼ぶ。よつて、わが家にころがつてゐた上海みやげの陶印「磊落男児」を愛用してゐる。

●母校正門の趾に建立した留魂記碑の除幕式に、清酒を注ぐ。一升、二升、あれあれ、プーンと香つてくるよ。へたくそだが碑文は小生作るところ、同窓のなさけで裏面に撰者、揮毫者の氏名を刻んでくれた。これで自分の墓は出来た。子孫は此処へ来て酒ぶつかけてくれりやあいいのさ。

●一点雲なき晩秋の日本晴、艮《うしとら》の方には龍爪山の向うに霊峰富士、まさにこれわが最良の時だ。花火がバーン、バン、大鼓がドーンドン。

　秋晴や
　　富士を仰ぎて深呼吸

倫理囃しの空念仏

（十二月十三日）

●珊瑚樹の茂みに尾長がもぐりこんできて、羽を休めてゐる。茶をすすりながら、ガラス窓越しにそれを静かにながめる。

亭主「どの程度の音を立てたら、パッと飛びたつだらうね」

女房「さあ」

湯飲みをコンとテーブルの上に当ててみる。尾長はそんな音には驚かなかつた。

なほも鳥の姿を見続ける。尾長といふやつ、灰色なんだが、その中に緑といふか、淡青といふか、さうした系統の色彩を光らせてゐる。玉虫色とでもいふのかなあ。玉虫の学名をクリソクロア・エレガンスと名付ける。「これぞ黒の色でがんす」ぢやあない。

女房「なにをムニャムニャ言つてるんですか、薄気味の悪い」

●中曽根内閣誕生す。世評はとりどり、しかし、全般的にいへば、その声は良かれ悪しかれあまり大きくない。社会党の飛鳥田委員長だけが対決、対決とわめいてゐるが、なんだかピンと来ないねえ。このごろの彼の発言、少しをかしいよ。中曽根にしても飛鳥田にしても、此の老書生にはいつも腹の空いてる学生時代の映像しか眼底にない。その映像はとてもさはやかで、正義に勇む若武者のやうだ。二人とも、この映像をぶちこはさないでくれ。

●政治家の倫理、教育者の倫理、マスコミの倫理、財界、労働組合の倫理、とにかく「倫理」ばやりだが、空《から》念仏ぢやあ仕様がない。どの分野にも腐敗が深く浸潤してきてゐることの自覚が先決である。

湯飲みをガンとテーブルに置く、尾長、パッと飛び立つた。

昭和五十八年

石火光中此の身を寄す——七十の春に

（一月十日）

●エッヘン、ポンポン、張り扇を叩いて講釈師。

「昔の諺に、〝石火光中此の身を寄す〟といふのがございます。意《こころ》は、宇宙の悠久に比ぶれば人間の一生など、火打石をチョンと打つてパッと火花が散るにも等しく、まつことはかないもの、てなことらしうございますな。

　とは申しながら、母の胎内に宿りしよりこの方の歳月を一日、一刻、一瞬と小割りにしてゆきますれば無限にひろがり、宇宙の大などものの数ではありませぬ。はて、どちらに心を潜めればよろしいか、しがない講釈師ごときにはトンと合点がゆきませぬ」、ポンポン

●講釈師、机に頬杖ついて。

「やつがれ、母の胎内に宿りました大正二年の末つかた、西暦一千九百十三年の晩秋は某月某日、ことし七十回目の春を迎へ、もの憶ふことしきりでございます。いやはや、なんとも嶮しいイロハ坂、お互ひさま、難儀な旅でございましたなあ。

　さあて、これより更にもう一つ丁場、つてわけで、年齢も半世紀はぶつとばして二十歳としちまはうか、昔流に言へば徴兵検査の年となる。この気構へで勇気凜々、酒樽の上でしやつちよこ立ちしてやんべいか。

●女房どん。

「なにをブツクサ言つてるの、さつさと爪でも切つちやあどうなの。師匠は爪切るの面倒がるたちだから、ほれ、この靴下の破け」

師匠「だまりをれ、俺の足の指は誇り高いんで上を向いとるんだ」

変成大王の亡者裁き——京都千本閻魔堂地獄絵

（一月十七日）

●京都の千本閻魔堂に古い地獄絵が焼けのこつてゐると発表された。正月早々、おもしろい新聞記事だよ、これは。

朝日は夕刊の一面左上に彩色写真。変成大王が地獄へ落ちた亡者どもの現世の罪状を調べてゐる部分を掲げた。

この大王さま、古画によく見かける文人書見の姿態。ぐんにやりした恰好だねえ。ぐるりに布を垂らした朱塗の卓子はシッポクだ。長崎へ来た唐人たちが日本人に伝へたんで、みんな知つてるが、日本人はシッポクを、料理の名前だと勘違ひしてござるよ。いや、話が横へそれちまつた。

そのシッポクを前にした大王さん、台の上で左の脚を立て膝に投げ出しての横坐り、左の肘をシツポクにのせて書付けに眼を落してゐるといつたあんばいだ。腹が大分ふくらんどるわい。運動がたりんのだな。

しかし、顔はきびしいね。への字に結んだ口、その上にピンとはねてるカイゼルひげ、またその上にあぐらをかいとる獅子ッ鼻、やつぱり裁判官らしい。誰だらう、調べられてるのは。

皆言ふ。「俺つてこたあねえさ」

皆思ふ。「俺でなけれあ、いいが」

●初詣での大群衆八千有余万人、今春はお賽銭も赤いのばかりで、白いのんや聖徳太子はあんまり見当らんとさ。

ケチなこと言ふな。もともとお賽銭てものはあくまでも銭だ。零細なもんなんだ。お賽小判なんぞあるかつてんだ。庶民がチツポケな祈願をする、それが成就する、そこで、庶民なりにささやかなお礼をする、これがお賽銭てへもんなの、いまは逆さだよ。願かけるときにケチな銭を神さまに貸付ける魂胆だ。不景気がなほるわけがない。

全国地名保存連盟発足す

（一月二十四日）

●全国地名保存連盟発足。現行の「住居表示に関する法律」（特に第五条）をたたきのめさうといふ魂胆なんだから、賛成せざるを得ん。一つ、大いにやらうぢやないか。

●歴史研究者にとつて、古い地名を消されるぐらゐ残酷な仕打ちは無い。まつたく、ひどい変へ方なんだからなあ。ことに開発屋、不動産屋ときた日にやあ、なりふりかまはずへんてこな「丘」ばつかりこしらへくさるんだから腹が立つ。

●たしかに丘は住居に適するが、谷や窪地まで丘と呼ぶに至つては全く以て言語道断、沙汰の限り、四つにたたんで生ま酢にしたいよ。老拙の住む世田谷は丘ぢやあない。祖師谷、粕谷、廻《めぐり》沢《ざは》などなど、北沢、深沢、谷や沢が多い。地形にすなほにしたがつて付けた名だ。我が家は池のそばだから小字を池淵といふ。この水が西へ流れて仙川へ注ぐ、そのそばに住んでる旧家が川本さんだ。みんなつながりがあるんだ。

●ふと気がついたらば、廻沢はいつのまにか千歳台になつちまつとる。この分だと、砧《きぬた》も危ない、大蔵もあやふし、二つながら隣りの調布、国領から府中へとつながる歴史上の大切な地名だのになあ。これがその北の「つつじケ丘」や「緑ケ丘」みたいにわけもわからぬ空虚な美名に侵略されたらどうなるんだ。あゝ、やるせないねえ。砧を打つから調布ができる。これを大蔵（官倉）に納めて府中の国司が管理するんだ。地名は歴史をものがたる。

●家庭はバラバラに分解し、地名はどんどん消えていく。いつたい、日本はどこへ行くんだよう。

「富士山大爆発」といふ本の効用

（二月二十一日）

●「富士山大爆発」といふ本が大量に売り出されて騒ぎになつてゐる。まさに熔岩流だ、鬼押出だ。なにしろ、大爆発が起るのは九月十日から十五日までの間だてんで、ぢつとしちやゐられない。どこまで逃げれば安全だらうなんて家族会議まで開いたアンポンタンのオッチョコチヨイが居ると、週刊新潮は面白がつてゐる。

　いやいや、手をたたいて面白がつてる場合ぢやあないよ。もつと真剣に扱はなけりやいかん。人命は熔岩より尊く、人権は火山灰より重い。

　よつて、地質図を按ずるにだ。火山灰土地帯はこれ明かに曾ては大爆発の際に恐るべき灰が降りそそいだ処だから、まづはそこから逃げ出すべきだとすると、関東地方はほぼ全円絶望区域だ。さうでない部分もあるが、これがまた大洪水にやられた流水堆積土地帯か、大地震の震央だ。こりやたまらん。一刻も早く逃げな。「え、どこがいいかつて、うん、まあ、母岩風化土帯ならよかんべい。とすると、火山の無い深山幽谷なら大丈夫といふことに相成る。

　幸ひ、さういふ処は人口も疎散だし、地価もぐんと安いはずだ。おまけに、村を捨てた農家の建物が空家で残つてゐるから、それを値切つて買へばいいさ。なに、もつと良いとこないかだと、ふざけるな、あのここな得手勝手野郎め」

●本は読み様だ。此の本だつて読んで為になる部分があるのかも知れん。それを大衆は見付ける眼力が無いから、読んだつて仕方がないのさ。著者と本屋がほくそゑむだけ。

●文天祥正気の歌にいはく、「風簷、書を展べて読めば、古道顔色を照らす」と。わが愛誦の詩、何度でも引く。

逝ける桶谷繁雄と江戸っ子会

（二月二十八日）

●桶谷繁雄逝く。行年七十二。せめて八十の声をきくまで頑張つてもらひたかつたにと、惜しまれてならない。

　桶さんは生粋の江戸っ子、浅草の生まれだ。ところが中学は東京にも珍しいフランス語の暁星中学、その筋合で東大工学部を卒業後、フランスへ留学した。彼の地で身につけたおしやれはなかなか板に附いてゐたつけなあ。ベレー帽にマドロスパイプ、赤の縞柄チョッキに銀頭のステッキ、乗るはスポーツカー、そして、いつでもきちんとシートベルトの片だすき、運転はなめらかであつた。まさに模範生のドライバー。

●桶さんは江戸子会を作つた。その事務局長になつた作家北条誠があつけなくあの世へ旅立つちまつたんで会は龍頭蛇尾に終つたが、もう一度チャンスがあれば江戸子会を再開してやらうとたくらんでゐたに相違ない。心残りだねえ。

●十何年か前、教科書裁判かまびすしかりしころ、老生と桶さんは東大から始めて幾つかの大学でギロギロした眼付きの学生たちの中に割つて入つて問題を論議し、講釈をぶちあげたことがある。あの時は講師控室に充てられた学部長室を包囲され、缶詰になつて頑張つた。もう三十分たつてそれでもまだ囲みを解かぬならば、ドアおつぴらいて躍り出し、一戦交へる覚悟を定めたことさへある。あの時のことを想ひ出すと本当に感慨無量だよ。

●桶谷繁雄の志は必ず後継者を生む。決して孤ならず、乞ふ、安らかに旅立ち給へ。

※桶谷繁雄—東京工業大学名誉教授、工博（冶金）、昭和四十六年、週刊「月曜評論」を創刊し、マスコミ批判に健筆を振ふ

二階堂特使の北京乗込み――向側の主張ばかり載せる新聞　（三月七日）

●首相の特使※二階堂自民幹事長、特別機に打ち乗つて朔北の風吹き荒ぶ北京へと天翔る。その使命は何ぞ。「日中関係の揺ぎない友好関係」に乾杯ッてわけで、紹興酒かパイカル酎をキューとやらうてえ寸法だ。

　折しも彼の地は春節だ。陰暦の元旦が陽の二月十三日、使節の発向は五日後の十八日だから、まだ松の内つてところ、いつてみれあ、年賀状だ。この人選、なかなか意味シンだねえ。向うの「旧友」（田中角栄）の「親友」だもん。

●さあて、東京新聞を見るに、特使の出発にあたつては鹿毛北京特派員電を「『日韓』で厳格姿勢」と見出しを付けて二面に載せ、翌十九日朝刊の第一回会談記事の見出しは「防衛強化路線に危ぐ（惧とすべし）―呉外相、二階堂特使に表明―近隣諸国に脅威与えるな」。次なる二十日朝刊では一面トップに寺本特派員の記事、大きな見出しで「趙首相、日韓声明を批判―半島安定に不利―防衛問題、周辺国に配慮を」とやつてゐる。二十一日朝刊では「日米の緊密化に理解―胡総書記、二階堂特使に表明―南北朝鮮、クロス承認には反対」、二面に総括として、「日本の防衛前面に、中国、予想外の警戒」と見出しを掲げ、「アジアに慎重配慮必要」と結論を付けとなる。

●いやはや、眼のしよぼついてゐる老生、こまかい記事ぬきで大きい見出だけ拾つてみたらこのていたらく、向うの言分ばつかりデカデカで、二階堂さん、一体なにを言つたのかさつぱりわからん。まさか、ただ黙々と老酒なめてゐたんぢやあるまいなあ。もつとも、こつちは年賀だけ、とすれあ、致し方なしか。

※二階堂進。田中内閣（第一次、第二次）の官房長官

奥武蔵名栗村の清遊

（三月二十一日）

●心身ともに疲れを感じてゐたところ、友人夫婦に誘はれたので、これ幸ひとばつかりに女房と手に手を取つて家を出る。行くは奥武蔵、飯能から四里の名栗村、市ばかり並んでゐる昨今、村とはなつかしい。その山ふところに包まれ、谷川のせせらぎに添ふ一軒きりの旅館「大松閣」に沈没すること二日、大いに英気を養つた。若山牧水がこよなく愛したと伝へる此の宿は客室僅か十と三、牧水が潜んだ頃にはせいぜい五・六室だつたのだらう。いま三棟続きになつてゐる其の中央の二階屋が古く、階下の壁には大正十三年の「定」が候文の条目でしたためてある。

この建物、まさに大正期の小股の切れ上がつた入母屋造の普請、一階の軒が百合の花のやうな形をした鼠返し風の出つ張りをなして二階を支へてをり、二階はきやしやな手摺に面取り角《かど》丸《まる》枠のガラス戸、回廊のある和室の明り障子が古雅である。

●小股の切れ上がりと言やあ、宿の若い女将がすなはちそれぴつたりだ。やや彫の深い目鼻だち、たとへば昔学生の間で人気のあつたアメリカの女優ジャーネット・ゲーナーかマーナ・ロイか。よく笑ひ、なんでもハイハイ。そのくせ、食卓での話柄をきつちり憶えてゐて、前の晩に「酢の物が好き、とろろが好き、豆腐が良い」などと聞くと、次の日にはちやあんとそれが出る。いいねえ。かう来なくちやあいけないよ。宿屋てえもんは。

●帰りは高麗の聖天院と高麗神社に詣で、飯能の仲町は「竹むら」なるそば屋で軽く一杯としやれて、さやうなら。

明日香村の春

（四月十一日）

●古代の廃都、飛ぶ鳥の明日香村を訪れた。同行は道々の専門家ばかり十三人、それぞれの専攻から飛鳥文化の本髄に迫り、遂には合流をとげて日本文化の源流を総合的にとらへようといふんだから、志の遠大なる、お互ひの顔見合せてうなりを発するほどだよ。

●飛鳥にも春がきた。菜の花の黄白色が明るく、あたたかい。甘樫の岡の「ことまがと」の崎へ登つて国見をすれば、鷗こそ飛び交はね、一望にをさまる青垣めぐる国のまほろば、わが夢はもくもくと沸きあがる。夢みるのは良い事だ。学術の研究は夢から生まれる。あゝ、「汝、まぼろしを見ん、幻を見ん。」

●此の古都にはへんてこな形相の石偶人や、奇妙な刻込みのある巨石があちら、こちらに散在してゐる。史癖作家の松本清張は飛鳥の此の石像から夢を引出し、はるかイラン・イラクの果てまでまぼろしを追ひかけて行つた。だがしかし、一方には夢もまぼろしも誘発しないくだらん小細工もある。たとへば、川原寺遺跡の、あの腹の立つプラスチック製の模造礎石だ。近頃の流行、観光サーヴィス、偽物を売つてほくそゑむおもねりの下等施設め、左の足でその偽礎石をけつとばしたら、ボコッといやらしい音を立てたつけ。東京は渋谷の盛り場に造られた最下等の「トレヴィの泉」の方がまだしも上等だなんて悪態をついたよ。

廃墟は荒れ果てたまま、そつとして置くべきものだ。それこそが歴史を物語る。大和郡山城を築くとき、えつさ、もつさと石垣用に運び去られた礎石群の足跡は模造復原で反つて消滅したのだ。皮肉なことだよ。

悪い事は連鎖反応を起すもの

（五月二日）

●中越国境で、またもやドンパチ始まつた。十七日、日曜日の夜、テレビ朝日のニユースは中共軍砲兵隊の猛射ぶりを見せた。ばかにフイルムの到着が速いなあ、と思つてよくよく考へてみたら、こりや、四年前の戦闘場面に相違ない。老いの衰眼には画面にそのことわりがきが出てゐたかどうか、定かでない。

　テレ朝が一所懸命なのに比べ、ＮＨＫは冷たい。なんにも放映せん。その代り、十八日朝のニユースでは韓国大邱市内にあるディスコ火事で若者が二十五人も焼け死んだ惨事を第一に報じた。中越戦は繰返しだが、大邱の火事騒ぎは全政権の自由化政策にまつはる一種の雪崩現象として注目に値ひするだらう。日本の悪模範がはやくも海峡を渡つて処女地が汚染されつつあるやに感じられてならぬ。

●そこへもつてきて、ベイルートの米大使館大爆破、数十人が吹つ飛んだ。なあんといふ悲惨事か。それでも、みんな向う岸の火事だと高を括つてゐる矢先、十九日朝、自衛隊輸送六機編隊の二機が鳥羽で墜落、木葉微塵に砕け散つて乗員十二名が死亡確認となつた。向う岸どころの騒ぎぢやあない。

●悪い事は連鎖反応を起こすものなのかなあ。以前にも羽田空港で旅客機が大事故を起こしたら、すぐ富士山の上空で別の機が乱気流にやられ、バラバラになつて散つた。修学旅行の宿で一人の生徒が盲腸炎に罹ると、続いて二人も三人も罹るといふことがよくある。連鎖、連鎖、盲腸炎ならまだいいが、どえらい大量死亡はやりきれん。桑原、桑原。

選挙とダルマさんの関係の研究　（五月十六日）

●ダルマさんが選挙※の度に片目で登場するやうになつたのは、いつごろからかなあ。こなひだ、新聞の投書欄に、あんなのダルマさんに失礼だからやめろ、といふ意味だつたらう、そんな一文が載つてたつけ。ほんとにさうだ。

　面壁九年、沈黙と寂静の内面鍛練に打ち込んだ達磨、どの候補者みたつてそんなの居ないやね。ベチャベチャ、クチャクチャ、しやべりづんめの政治家と達磨ぢやあ、まるつきり正反対だもん。

●達磨の七転八起と選挙とはどうだ。これも関係ないね、七回も落選してはまた立候補するのは新聞のいふ泡沫候補、問題にならん。とすると、あの「ダルマさん」、何だらうなあ。江戸時代に「だるま」と言やあ、私娼のことだつた。片目つぶつてウインクか。これは叱られさうだね。まつた、香具師《やし》仲間の隠語「だるま」は羽織のこと、そのこころは、腰から下が無いからだといふ。おもしろいねえ。

●当選したらダルマさんに片目を入れる、点睛だ。そんならなぜ片目の龍にせんのかなあ。龍はいいぞ。達磨よりこの方がどれほど政治家たらんとする者にふさはしいか、測りしれない意味がある。国会選挙の際には是非とも龍にしたまへ。

　しかし、胸に手を当ててよくよく考へてみると、達磨のまねも大変だが、龍になるのも骨が折れるぜ。当選してひよいと見れば、龍と思ひしは青大将の見誤り、青大将なら人畜に害をなさんが、蝮《まむし》となるとこりやあ、毒があるんでね、当選されちやあ、国民が困る。

※第十回統一地方選挙

政治亡命の連鎖反応

（五月二十三日）

●この前、飛行機墜落の連鎖反応に驚いたばかりなのに、今度は亡命の連鎖反応ときた。ソ連KGBの対日工作員スタコラサッサならぬスタニスラフ・レフチェンコがアメリカへ亡命して、日本での日本人協力者名をちらつかせたばつかりに、スパイ天国のすきだらけが大衆の眼にも飛び込んで、いやはや、といふありさま。「勘弁してよ、亡命スパイさん。」（協力者）

●さても今回は、中国民航機を乗つ取つて韓国経由台湾亡命志願の六人組、言ふところは「社会主義の将来に絶望」。続いて東ドイツから東京へ公演に来てゐた歌手のナンニータ・ペシュケ嬢の西独亡命、言ふところは「自由へのあこがれ」。

　まあ、この二例は引き裂かれた同民族国家の一方から他方へと移るわけだから、民族次元で考へればさほど刺激的ぢやあないね。

　日本人がもし他国へ亡命するとしたら、こりやあ余程の覚悟が要る。治安維持法がきびしく作動してゐた戦前の日本には、共産主義者が弾圧を逃がれ、「労働者の祖国ロシア」へのあくがれをこめて、亡命をした。その大立者は片山潜だが、向うで相当な地位を与へられ、大事にされてはゐたものの、晩年はやつぱり希望をなくして、淋しき長老になつてゐたらしい。

●それにしても、共産圏の内情、平安楽土とは程遠いやうだなあ。なんの、かんのと悪口たたいても、やつぱり日本はいいんだね。革新が政治※を執れば、税金山分けの、炊事のをばさんまでが退職金四千万円とくらあ。こたへられん。

※東京都武蔵野市の退職手当支給条例。これに批判が高まり、六月二日、市議会は条例を改定。

三国志もどきの評ある林彪事件の真相（五月三十日）

●たまには有名月刊誌でものぞいてみよう、そんな気持で文藝春秋六月号を買つた。実は広告に「林彪事件の真相」とあり、「極秘文書で綴る決定版」なんてうたつてあるから、つい、食指が動いたといふ次第。

　早速、開いてみる。巻頭の随筆集にはフランス駐在大使内田宏と前外務次官須之部量三両君の文稿が載つてゐるのを発見した。二人とも老生と同じ旧制高校の寮友である。なんだか、同窓会報でもめくつてゐるやうな、ほのぼのとした感じがする。

●ほのぼのとしないのは林彪事件の始末記。林が毛沢東を亡きものにしようとたくらんで、返り討ちにされた。林の陰謀を「宝塔山計画」と呼ぶ。ソ連と気脈を通じて擬装作戦をひきおこし、毛主席を宝塔山の安全施設に導いて実は此の中に閉ぢ込めたまま、永久に外界へ出さないことにするといふもの。安全どころか、宝塔山は毛の供養塔か首塚か。あな、恐ろしのたくらみかな。

　一方、はやくもこれを察知したる毛周※党は、機先を制して林夫妻を毛邸に招待し、うたげ果てての帰るさに、夫妻の乗つたる高級車めがけて至近距離からロケット砲をキュン、キュン、ドカンとぶちこんで、車もろとも彼等をば、冥土の旅へと吹つ飛ばした。たつた二人をバラすのに、並べた砲は四〇ミリ四門と六〇ミリ三門とはすさまじき。いかに林彪が無敵の将軍でもこれぢやあ木端微塵になるわいな。

●訳者は解説で、三国志もどきだと書いてゐる。三国時代といへば今を去ること千八百年、天下三分、覇道抗争の大河ドラマだ。このドラマ、現代に至つていよいよ激しさを加へ奔湍《ほんたん》、岩を噛む。あな恐ろしや。

※毛周—毛沢東と周恩来

ウィリアムズバーグで軍艦マーチに聞き入るロンとヤスの胸の中（六月十三日）

●※ウィリアムズバーグにて—中曽根日本国総理大臣入場、レーガン米大統領と並んで立つ。目にしみるグリーン、初夏のそよかぜ。

軍楽隊「君が代」を吹奏。全員直立不動。続いて、「軍艦マーチ」の爽快なリズム。嚠喨たる楽の音はこの十八世紀風古都市のたたづまひに調和して人々を明治のいにしへへといざなひゆき、東郷元帥がバルチック艦隊を対馬沖に撃滅したときのセオドア・ルーズベルトの狂喜ぶりを胸に呼びさました。

レーガンの胸の中「ルーズベルトは七十八年前の今日、おお、パーフェクトゲームと叫んで飛びあがつたさうだが、あの日露戦争ではアメリカが日本へ金を出したからうまくいつたんだ。その貸しもある。ヤスにそれを深く考へさせるには良い選曲のはずだ。善幸（鈴木前首相）さんにはさつぱり通じなかつたが。

中曽根の元海軍青年士官の胸の中「ううん、腰のあたりに短剣が無いのはちと寂しいが、いつ聴いてもさはやかな曲だ。だが待てよ、またぞろ平和正宗《まさむね》に酔つぱらつてゐる新聞や国会あたりがくだ巻いて因縁つけるだらうから、知らぬ存ぜぬの一点張りで対応するほかはあるまいて。ロンも人がわるいなあ」

軍楽隊長「軍艦マーチよ、よかつたなあ、日本ぢやあ、あんたはパチンコ屋勤めに身を窶《やつ》してゐるつていふではないか、気の毒になあ。同じタマでも景品めあての玉ころがしに附合ふ身が、アメリカの好意で世界の檜舞台にカムバックだ。おめでたう。おめでたう。※軍艦マーチ「さうはいかんのだよ、日本では。守るも攻むるも黒い金つてなわけでね、士道、地に墜ちたりなんだから。

※五月、アメリカで先進国首脳会議。

※軍艦行進曲の「守るも攻むるも黒鉄の…」のもぢり。

サラリーマンライフの「一喜一憂空模様」は面白かつた（八月一日）

●ＮＨＫテレヴィの「サラリーマンライフ」、存外おもしろいんで、時々聞くよ。視るんぢやない。老生の場合、視力保全のため、映像はほとんど見ない。たまにカッとまぶたを開いてパタッと閉ぢる。ああいふ番組は耳さへつかへばそれで十分わかるから、ラヂオと同じ扱ひで結構。

●最近見たのは天気と商売、題して「一喜一憂空模様」。いやあ、実に感心したぞい。商売人つてもんが変りやすい日本の天気にかくも必死で対応してゐようとはなあ。

百貨店では、冷雨とみれば開店直前の僅かな間に半袖開襟を後へ引込め、長袖ものを前へ押出す。幹部も売子も汗だくだくの大奮戦だ。また、野球場ではスタンドから観天望気を怠らず、あぶないとみれば直ちに幕の内弁当の発注数を大幅にカット。品物が届いてから雨ともなれば、数千食の弁当、その日のうちに焼き捨てとなる。損害莫大といふ次第。これぢや、予報官顔負けのお天気博士にもならうといふもんだ。

●役人は商売人の爪の垢を飲むべし。人事院勧告なんどは呑まんがええ。ますます怠け病がつのるばかりだ。この真理、元役人の言なれば誤り無し。

益田の水害と大学の汚濁

（八月八日）

●島根県西部、石見国に豪雨。被害甚大の報道にわが研究室は青ざめた。若い女子職員が益田市の出身で、両親の安否が気づかはれる状態に陥つたからだ。こんな身近かな所に被害家族の一員がゐたんだ。

冠山山地から出る幾条の流れを集めて益田市を貫ぬき日本海へと注ぐ高津川は、くねくねと蛇行して益田市街地の西南部では輪状をなしてゐる。これがどうも毎年のやうに溢水をひきおこすやうだなあ。今度もそれだ。

その輪流の北側に柿本人麻呂を祀つた神社がある。このあたりは低地なので、腰までつかる洪水になつたとか。（別流益田川の暴れぶりは新聞に出た）

●不幸中の幸ひ、娘の家は高津川の左岸地だが、床下浸水まででどうやら治まつたらしく、その旨の一報が届いてほつと安堵の胸をなでをろす。とにかく、交通路が開けたら何を措いても益田へ飛ばにやあなと、言ひながら本人に、どんな物をかついで行くかと問ふたらば、「きれいなお水」と答へたつけ。水が溢れて水が無い、同じ水でも清濁の違ひはいのちにかかはる。

●清濁といやあ、またぞろ大学の汚濁が告発されてゐる。先には権力争ひに殺人事件まで起きた国士館、次には教授選任にカステラ小判が動いた医科歯科大——処置ないな。

戦争呪詛の風化は必然

（八月十五日）

●わが家のあたり、真夏といふのに蟬の声を聞くことが殆どなくなつたのは淋しい。カナカナ、ジイジイ、ミンミン、そしてオホシンツクツクと交替してゆく蟬奏に囲まれながら時の流れを想ふ、自然とのさうした交りの中に人生観は深められたものだが、蟬との縁の糸も切れてしまつた。

●祖霊お迎への盂蘭盆会に、戦没同胞の慰霊祭に、津々浦々が亡き人との交流の幾日かを過ごす。さうかと思ふと、これを尻目にハワイへ、グアムへ、バリ島へ、存分に夏を楽しむ若者の群、甲子園野球に熱狂する大衆の汗、その喧騒にあらがふやうに、反核平和、閣僚の靖國神社公式参拝違憲の叫びがこれまたかまびすしい。

●時の流れは戦争を体験から歴史へと送りこんでゆく。人は戦争について、「其の場に在る」感じの薄らぐのを否定できぬ。無体験の三十代以下が無感覚なのは当然。

　評論家はこれを「風化」だといつて歎いたり、憤つたりしてみせるのだが、さうではない。風化ではなく、体験から歴史への移行なのだ。

　わが家でも、六親等の範囲内で、戦死三、重傷一、重症一、空爆死八にのぼり、悲痛の歎きは他家に劣らぬ。

　しかし、いまは静かなる鎮魂の祭りあるのみ。

猛暑に舌べらを出して涼をとる妙法

（八月二十二日）

●女房どん。冬型人間。夏は汗だくだくで大弱り。亭主。夏型人間。ろくに暑がりもせず刀鍛冶について勉強中。

●女房どん「しやくに障るわねえ、三十四度もあるといふのに、平気な顔をして……」

　亭主「お前さん、暑がりだからなあ、一つ、いい方法教へてやらうか。まづ口を少し開けてな、それから、舌べらを歯の間から出して息してみなよ。舌の熱は三十六度五分、外気温との差二度五分、外気が舌の表面に当たるとな、あのザラザラした表面は拡大鏡で見りや相当な凸凹なんで、一種の空気冷却装置の役目をはたすんだよ。舌は口腔内で咽喉ともつながつてるから、自然と体内に涼しさが送りこまれるつて寸法だ。やつてみな。」

●女房どん「犬ぢやあるまいし、ばかばかしい」

　亭主「赤熱した刀身を湯の中へジユッと差し込む、この急激な冷却で鋼鉄は赤熱時の組織をそのまま固定することと相成る。さてこの湯温の加減が秘伝でござるが。赤熱温度と湯温の差はたしていかに」

　女房どん「やめて下さいよ、暑苦しい」

日教組の零落加減

（九月十二日）

●日教組の落ちぶれ加減はどうだい。ひどいもんだねえ。ただしこれ、同情の声ぢやあない。当然の結果を見ての率直な感想にすぎん。

　落ちぶれ方の甚だしい現れは、去り行く槙枝委員長が岡山県の出身だから、彼の最後の大会はふるさとで、なんと浪花節そこのけのセンチメンタリズムを涙に袖を絞りつつ打ち出してきたことだ。まさか、墓へ入るわけでなし、なんでそんなに故郷にこだはるんだ。「父帰る」つてことか。「ふるさとは、遠くにありて思ふもの」といふぢやないの。

　しかも、県や地元民が嫌だいやだといふのに、あくまで我を押し通さうと、夏草生ひ茂る空地に仮小屋おつ建てバケツで飲み水運びこみ、えつさえつさと大会強行、意地と面子の鬼と化す。

●その上、悪いことは何時も他人のせゐにして憚らぬ厚顔無恥を今度も臆面なくむき出して、県や地元は右翼の暴力に屈し、集会の自由権を奪ひよつた、けしからん、訴訟だ、などと肩怒らせる始末、つける薬はござんせん。争ひを事とする者、遂に滅亡を免れぬ。草叢わたる無常の秋風は仮小屋の中も吹きぬけようぞ。

祖父が著し孫が出版する家の文化

（十月十日）

●さる研究所の書庫をまさぐつてゐたら、書棚の一隅に「集古官印攷証」といふ一帙四冊が目に入つた。なんの気なしにそれを取り出して帙をあけてみると、漢から元に至る政府発行の印章についての研究書であつた。

　この本を編んだのは清の古学者瞿中溶といふ人で、道光十一年（一八三一）に十七巻を執筆し終る。しかし、そのころ清国には大動乱の兆が現れてをり、瞿先生は自分の著作を出版するによしなく、深く篋底に蔵して時を経た。

●春風秋雨四十年、中溶は清の年号で同治十一年、わが明治五年に志空しく白玉楼中の人となる。ここで孫が奮起する。おぢいさん、待つててくださいねと八方奔走、資を縁者に求め、遂に目的を達してその翌々年、めでたく本書は世に問はれた。それから数へてさらに百十一年、いま偶然にわが手によつて開かれるや忽ちその学問の真価あらはれ、今日に益をもたらした。なぜか、貴重な稀見史料を載せてゐたのだ。

●祖父がまとめ、孫が世に出し、百年の後学がそれに学ぶ。これが本当の歴史つてもんだよ。どうだい、今様出版のていたらく、紙屑みたいな際物、ゲテモノ、ウソのコッパチ、秦の始皇が焚書坑儒を断行した気持、わかるなあ。—九月二十三日、晴、苔墓清掃。

標準地価——一平米づつ売るとするか

（十月十七日）

●東京都が基準地価なるものを発表し、新聞はその詳報を載せた。まるで、電話帳の抜粋みたいだなあ、こりや。

　老生にとつては用の無い紙面だが、世間には眼を皿のやうにして、生唾のみながら数字を追つかけてる人間がごまんと居るんだ、たまにやあ、お義理、お附合、どれひとつ、猫の額のわが家地がどんな数字になるか、読んでみよう。

●残念、ちやうどの処が出てないや。不動産鑑定士が眼もくれなかつたんだな、きつと。では、仕方がない、同じ町内で二丁違ひが載つてるから、これで間に合はさう。

　その住宅番地の一平米値は三十九万と六千円、前年は三十八万五千円だから一万一千円の増、上昇率を小学生なみに計算すると二・七九％だ。全平均三・七％からみれば〇・九一％低い。いやだね。なんでもさうだが、並み以下てのは劣等感を催すもんだ。しかし、ともかく、わが家だつて大した資産家よ。ピイヒヤララ。

●そこでだ、毎年一平米づつ売り飛ばしながら暮せばどうだらう。残りの人生、左うちは、たかが坐布団一枚分だ、どうつてこたあないぢやあないか。

　あ、地即是空

　ピイヒヤララ

世事三杯酒　身生一葉舟

（十月二十四日）

●庭の一隅に酔芙蓉の花が咲いてゐる。朝、蕾がほどけて白い顔、昼過ぎから少しづつ桃色がかり、夕方には紅をさす。翌朝になつてもまだ色がぬけないんだから、こりやあ、二日酔だね。

　この酔芙蓉、老生が寝る部屋の濡縁の前に植わつてるんだ。植ゑた女房の皮肉に違ひない。ちかごろはいくらか酒量が減つたから、宿酔はおのづから稀になつた。からだには良いのかもしれないが、ちと淋しいなあ。

●名古屋、宇治山田、京都と、それぞれ用たしをして四国讃州は豊浜まで脚をのばした。姫浜の松林、瀬戸の海、港に憩ふ漁《いさ》り舟、あゝ、わが船舶幹部候補生隊、曾て此処に在りき。時に満潮。藤田東湖の一詩を口遊む。

　世事三杯酒　身生一葉舟
浮沈醒又酔　不識歳華流

●再び京へ舞ひ戻つて人に会ひ、松茸と鮒鮨で酒くみかはし、家路につく。

帰ればくだんの酔芙蓉、二日酔が一輪に蕾三つ残つてござる。

その日、ビルマ※で韓国首脳の多くが爆弾に斃る。なんたること。翌朝、宿酔の一輪がぽとりと地に落ちた。

※十月九日ラングーンで韓国閣僚四人を含む十六人爆弾テロに斃る

親切宣言都市とは何処か、ご存じか

（十一月二十一日）

●八王子へ行つた。国鉄の駅ビルが建ち、百貨店そごうが其の中に店開きしたので客寄せに、日本藝術院会員展と、池坊専永一門の生花展を催してゐる。これを観るのがその日の楽しみだつた。

　京王線の駅からぶらぶら歩いて国鉄駅前の広場に出る。そのど真中に乳棒の親分のやうな白い塔が立つてをるが、これに、「親切宣言都市」と大書してあるのを見て、びつくりしたよ。

●親切を宣言する、一体全体、こりや、何の事かね。八王子市民は総て他処から来た者に親切であります、いや、市役所の職員はいままで不親切でしたが、これからは、心を入れ替へます。どつちなんだらうなあ、だが、いづれにせよ親切は個人の徳性、肩怒らして凄むもんぢやあない。己れは親切だぞ、なんて吹聴するやつに禄なのは居らん。斯くの如き迷標愚札は目障りなり、よろしく撤去すべし。これぞ親切の第一歩。

　それにしても近頃、やたらと何とか宣言を発する町が増えちよるのは妙な風潮だねえ。

●作品展では、朝倉文夫作「のび」が楽しかつた。日当りの良い廊下かなんかで、目をつぶつて、あご引いて、ううん、と前脚を伸ばしきつとる猫の恰好、横着もんめ。この日、立冬。

東大赤門は「赤の門」か

●木枯しの吹きまくる午後、久しぶりに本郷の東大へ行く。
　赤門の前。なんとも醜悪、無残、まさに「赤の門」だ。全学連のばかでかい看板が歩く隙間もないほど、ぎつしり立ち並ぶ。それを縫ふやうにして門をくぐる。このとき、思はず嘔気をもよほした。

　へたくそ極まる字でごてごて書いてあるのは何だと見れば、これがまた十年一日の如きたはごと寝言の羅列だ。さしづめ、疱瘡に罹つて一生あばたづらつてところか。

　―公孫樹の黄ばんだ葉がきりきり舞をしながら、看板に飛びかかつてゆく。
●さる学部へ入る。奥のラウンジへ。名はしやれてゐるが、管理不良。脚付きの煙草盆なんざあ、何年も取替へたことが無いんだらう、黒ずんだ泥砂がコチコチに固まつてゐる。
　この部屋にたむろする学生、これがまた、ひからびた葱みたい。塩折れて陰気で、声も碌に出ないみたいだ。笑ふことも、泣くことも、何処かへ置き去りにして来ちまつたんだろ。

　あの乱暴な看板を出すやつらと、此のしほたれ葱とのコントラスト。東大はもうだめだよ。この駄目大学へ夢中で入りたがる高校生が後を絶たぬとは、世も末ぢやなう。


（十二月五日）

障子と障子紙の寸法が合はない不経済不合理（十二月二十六日）

●毎年、暮になると、正月はどうやつて過ごさうか、年賀状なんか、よしちやうか、などなど、くだらん事を蒸し返す。あげくのはては昔ながらの暮正月、愚物とは、かくの如き物をいふ。

●愚物の片割れたる女房、夢遊病者のやうに日本橋の古舗「はいばら」までふらふら出掛け、例によつて障子紙を買つてきた。

　この紙、中どころの上品、寒製生漉で銘柄は高千穂、一巻が二千と二百円、それを二本つかつて、我輩の部屋二面四枚、女房の部屋一面三枚を張替へた。

　昔は巻紙の幅がちやうど障子の三段分、いや、その逆で、紙に合せて障子の桟が組んであつたんだ。ところが今はさうぢやない。障子の枡は紙のことなんかお構なしにできてけつかる。だから、紙の裁落しが出て仕様がない。なんたる不合理、なんたる不経済ぞ。

　此の裁落し、横目だから観世縒にもならん。細つこくて、鼻汁もかめず、丈夫だからトイレットペイパの代用にもならん。くそつたれめ。

亭主「この端切れ、何かの役に立たんかね」

女房どん「通産省へでも電話してみたら…」

〈天の声〉—やはり、愚夫愚婦ぢや。

昭和五十九年

はたち過ぎればただの人——成人式

（一月十六日）

●成人の日、はたち過ぎればただの人、みんな凡愚の仲間入りだ、おめでたう、おめでたう。

—どうも、これぢやあ、落着かんなあ。いや、選挙権を持つんだ、公民としての責任ある立場になつたんだ、めでたいではないか。

—さうか、凡愚が投票し、凡愚が当選して政柄をとる、衆愚政治とはこれだ、困るぢやあないか。

●昔、幼稚園で習つた歌

「ポチとタマ」（尋常小学唱歌）

〽この子はポチと
申します
チンチンおあづけ
みな上手
いまに、おとなに
なつたらば
ご門の番を致します

—民主主義者「けしからん、封建的な童謡だ、作者を訴へよう。」

●海外緊急ニュース。

アメリカでは、動物の自由権を確立するため、大学の実験用動物を力づくで解放した。現代版の放生会。これに同調する人間四百万ありとか。

第三次教科書検定訴訟始まる

（一月三十日）

●女房どん、ササと書斎の襖をあけ、

「これ、ご覧なさいまし」と、右手に高く亭主のワイシャツを掲げ、棒を呑んだやうに立つ。机の上に頬杖ついて漫然と窓外に眼を向けてゐた亭主、やをら顔を右へまはして件のワイシャツを見上げる。カンカンに凍つて、板みたいに硬い。洗濯をして庭に干しといたら、このていたらくだ。

「こんなこと、初めてですよ、ああ驚いた、びつくり」

亭主、腹の中で、

「家永三郎※法師が着こむと、よく似合ふだらうなあー」

●第三次教科書検定訴訟はじまる。例によつて記者会見、翌朝刊大報道、四日後の一月十九日、訴状を東京地裁に提出といふ段取り。演出するなあ、日限ぎりぎりまで満を持して放たず、あはやの瀬戸際に駆込み訴へをして天下をアッと驚かさうといふあんばいだ。大新聞を大名行列の供先なみに利用するなんざあ、大したもんだ。朝日たるもの、毛鎗ふりふり髯奴役、うまくつとめなされ。

●家永法師、憲法蓮華経を右手にささげ、ラッキョウ頭を振り立て〳〵、虎ノ門（文部省）をばハツタとばかりにらんだり。

〈文部省―どこまで続くぬかるみぞ〉。

※高校日本史教科書の著者。検定違憲訴訟の原告。

医療費一割負担では病院へ行かないと言ふ老人は本当の病人ではない（三月五日）

●日本医師会が、なんだか大騒ぎしてゐるなあ。治療費の一割を患者が自分で支払ふべきものとすといふ政府の方針に猛反対だつてんだ。をかしいぢやあないか。どつちみち、治療代は全部医者のふところに入るんだ、何もああだ、かうだとごねる必要ないぢやないの。

医師「違ふ、ちやう。自分のふところいためるとなりやあ、来る患者も来なくなる、その結果として、減収はまぬがれんのです。政府の方針は医者殺しといふもんです。ダンコ反対。」

●なんてことぬかすんだよ。一割自腹なら医者へ行くのやめとこ、なんてやからは本来、病人でも患者でもないんだ。行かなきやあいい、行くな、行くな、大体、人間のからだを保つ方法は三つあり、一は正気を充実させること、二は養生をすること、三は治療をすることなんである。医者にかかるべき者はその第三の該当者なのに、一も二も三もみんな病院へ走るもんだから待合室は空港並みとなり、看護婦はツンケンし、医者は検査と薬を山と積んで受診者におつつけるんだ。一億総患者にしなけりやあ気が済まんのだ。不良病院「早期発見、早期治療、丈夫な人もおいでおいで、きつと病人にしてやるよ。」

「中国残留孤児」といふ呼称はやめたい

（三月十九日）

●「中国残留孤児」といふ呼び方、どうも気に入らんな。孤とは何ぞや、幼にして父を失つた者のことである。失ふとは何ぞや、父の死を意味する。然るにいま、迎へ入れてゐる人々は父が健在の場合あり、母、兄弟にめぐりあふことのできた人あり、これをおしなべて孤と呼ぶのは正しくない。

まつた、児もおかしい、みんな、四十前後のおとなぢやあないか。いかにも似合はしからぬことである。中国残留同胞でよいはずだ。同胞では幼い時に親と生き別れになつたといふ意味が出せないといふか。それなら言はせてもらふぞ。

●悲惨な修羅場で引き裂かれた親と子の四十年にわたる人生を一語で表現するなんてことができるわけはない。それをあへてしようとするから、こんなへたくそで不十分きはまる呼び方をすることになるのだ。

まだあるぞ、「残留孤児」といふことばには、もろに逃げの心がある。なぜ残留せざるを得なかつたか、その歴史的運命のすさまじさを正視しまいとするごまかしがある。ソ連軍の暴虐にさらされ死生の間をさまよつた人々であることを正視すれば、こんな無感動な呼び方はできないはずなんだ。改めよ、呼び名。

新聞記事を正確な報道と思ひ込む女の浅はかさ

（四月二日）

●朝日(三月十九日朝刊)をひよいとのぞいて、びつくりした。

〈ことわつとくが、老生は朝日を買つてゐない。「買つてゐない」には二つの意味がある。第一、定期購読せず、第二、評価せず。老生はその両方なんである。〉

さて、びつくりしたのは十五面、「新聞に関する首都圏世論調査」である。なんと、「新聞に強い信頼、高い期待」てな白抜き横断幕を飾りたて、縦に「年代越え『正確さ』買う」とうたひあげたる図々しさ。

●ならば中味をちと拝見。調査回答者の五七%は女、その中、「正確性を買う」といふのが六二%、社会面では「事件・事故ニュースに深い関心を抱いて読む」が六七%。これでわかるぢやあないか。女の意識水準がどの程度にさむざむしたありさまであるか。

●大体、記事の正確性なんて、一紙だけ見て評定できるわけはない。一度でも自分の事を書かれた人間なら、新聞がいかに誤記に満ち偏見にあふれてゐるかを痛感してゐるはず、その経験がない読者は調べもしないで正確だと盲信しとるに過ぎんのだ。おめでたいのは読者、味をしめてゐるのは新聞社。しかしまあ、世の中つてのはこんなものかも知れんて。

男女雇用均等法上程に見る日本の進歩

（四月九日）

●男女雇用均等法立案上程。婦人少年審議会は三論併記で労相に報告。不満はぶつぶつ、批判は丁々、まさに、日暮れて道遠しか。

もともと、生理、心理、体力等あらゆる人間的基本条件が違ふ男と女を、雇用の面で均等に扱ふつてのはなかなかむづかしいやね。

●ところで、「婦人少年」といふ名前、こりやあいけないよ。昔は家で大事な相談事があると、戸主殿は髯《ひげ》をねぢり上げていかめしく、「女子供はさがつとれ」と命令したもんだ。「婦人少年」と「女子供」は同じもんだ。その名の審議会で男女均等論をたたかはすなんざあ、妙チキリンとしか言ひやうがない。まづ以て、この名前からして改めるべし。

●テレビにアナウンサーは不必要、現場記者の方言まじり報道の方が迫力ありとかで、標準語アナ連はいまや失業の恐怖に直面してゐるさうな。急流を下るが如き世相の変転、うたた感あり。

アナといへば、最近の早口はひどすぎるぞ。限られた時間に沢山しやべらされるもんだからああなる。「立板に水」ならまだしも、「油紙に火」だ。豆鉄砲の一斉射撃だ。いかん。どうだらう、ロボットにやらせては。

アナ「お助けを」

月給取になつてからお行儀の稽古

（四月十六日）

●去年の自殺者は二万五千人で、その前の年より四千人も多かつたと、警視庁が発表した。増加分では四十・五十の男が圧倒的で六割を占める。原因は金策苦とか。

　六十五歳以上ともなると、自殺者の数は一番多く、大概は病苦によるとの悲しい統計。やりきれないねえ。

●中学生の登校拒否は二万人、その中、「不安を中心にした情緒的な混乱による神経症的なもの」といふ長たらしいのが、なんと、六五・七％に達するさうな。文部省は定価二百六十円の対策手引書を出版して配り、父母にも読んでくださいと、サーヴイスこれ努める。作るは易く、読むは易し、されど、行ふは難し。

●都心部の或るビル。玄関に立《たて》看板あり、「○○株式会社新入社員教育会場」と大書して威風あたりを払ふ。

　いまや、咲かない桜の代りに新入社員教育の花盛りだ。どんなこと教へるんだろ。おじぎの仕方かな、それとも、中年で金策に苦しまないための経済学かな。

　今は昔と逆で、少年の日には躾をせず、月給取りになつてからお行儀の稽古だ。これ、ひつくりかへせば、きつと死ななくて済むよ。言外の含蓄、味はつてもらひたいね。

社会党訪米団のニコニコ洋行

（四月三十日）

●社会党訪米団のニコニコ洋行。日本の新聞ときたら、毎日毎日、いたはるごとく、励ますごとく、ニコニコしながら記事を流し続ける。あつたかいねえ。

朝日十六日の十四面をひよいとのぞいたら、「社党に温かかった米国」といふ白抜きが目にしみた。石橋委員長、アメリカの政界と日本のマスコミの両方にダッコされて、まるで湯につかつて浪花節うなつてるみたいだ。あんまり長く入つてると、蛸になつちまうぜ。

●朝日特派員いはく、「今回の訪米は社会党にとっても日米関係を無視してはいられない、という教訓を残した」と。

ほほう、「無視」ねえ。わしや、無視どころか、敵視しとるとばつかり思ひこんどつたよ。いままでの社党の言動はさうなんだもの。言つとくがな、無視できるのはアメリカの方で、社党ぢやない。特派員君、勘違ひをしなさんな。

石橋君、帰つて来てからの言動に注意しなさいよ。ものの言ひ方によつちやあ、またアメリカに無視されるから。

●婚礼で静岡へ。駿府城の濠に花吹雪、水面《みなも》に散り布く花びらの風情は友禅の上へ小紋を重ねたやうだつた。アメリカは濠、社会党は花びらか。

臨教審法案上程——法の期待度

（五月七日）

●臨教審設置法案、いよいよ国会へ。こりやあ、まあ、通過するだらうねえ。

　法案は「教育基本法の精神にのつとる」といふ。野党ともども超党派で、といふ首相の立前、教基法にかぢりついてゐる左派がそつぽを向いては身も蓋もないからなあ。

●教育基本法は、昭和二十一年九月以来、内閣直属の教育刷新委員会（第一特別委）がお膳立てをしたものだが、その建議書には、「真理と正義とを愛し、個人の尊厳を尚び…」とあつたのに、成立した法律の前文には「個人の尊厳」が首位を占めて「正義」は消され、「平和」がこれにとつて代つた。

　また、特別委が作つた前文には「伝統の尊重」があつたのに、G・H・Qのお手討ちになつた。つまり、日本の教育には正義も伝統も用はない、ただ、個人と平和さへあればいい、てなしろものだからこそ、ガタガタになつちまつたんだよ。そんなこたあ百も承知で此のガタガタ精神の前に立入禁止の札を立てちまつたんだから、どうにも仕様がない。

●ま、教育改革は行政改革の一環として、首相年来の志願を一つでも二つでも果たしたらいいだらう。問題点はかなりはつきりしてゐるんだから。

哀訴歎願調禁止札は撤去せよ

（五月十四日）

●日曜日午後、裏のつりがね池は子供で賑はふ。おほかたは魚釣りだが、騒ぎまはるだけのチビも少くない。

ひよろ長い松の木が水面すれすれに、岸から池へと幹を這はせてゐる。チビがそれへ馬乗りになつて、ゆさゆさとやる。これを見付けると、「やめろ」と叱る。つい最近、その叱言《こごと》を言ひまちがへた。

「危ない、降りろ、坊や」

これが、いかんのだ。

「松が折れちまふぞ、どけ」

でなけりやあ、教育にならんはずだつた。今の世の、ヘナチヨコで浅薄な人命至尊主義が諸悪の根源なんだ。深く反省する。

●池には区役所の哀訴歎願調制札が四方に立ち、ごていねいに池の真中にも見える。近所の電話局の土手にも同じやうな制札がある。

「あぶないから〈土手へ〉のぼらないでください」

バカバカしいだけぢやあない、そもそも、語法が正しくないのだ。土手が崩れる危険があるといふのか、登る子供の身の安全を願つてか、どつちなんだ。もし子供のためならば、

「此の土手に、登るなこちら電話局」

とまあ、五七調でやらかすべきなんだよ、全国の制札、総点検せよ。

哀れ、大学生の平和意識調査結果

（五月二十八日）

●京都の同志社大学で開かれた日本法社会学会に、大学生の平和意識調査なるものが発表されたさうだ。

　それによると、米ソ戦など大戦争勃発の危険性を感じてゐる者七八・九％、日本が戦争に巻込まれるおそれありとする者八五・五％にのぼるが、日米安保反対は六五・九％、防衛費予算ＧＮＰ一％以上は容認せずが九〇％を越えてゐるとか。

　徴兵制反対も九割以上、敵が攻め寄せたら逃げちまふてえやからが四分の一を上廻ると、新聞はおもしろがつてゐる。どうだいこのざまあ。

●昔の高専生、大学生が「学生さん」と世間から呼ばれて大事にされたのは、数が少なかつたせゐばかりではなく、一般社会人とは違つた、何か高品位の意見を持つてゐる将来の指導陣と認められてゐたればこそだ。

●ところや今や、数は無数になり、意見は高品位どころか世間並み、いや、その口真似だけだから、並以下だ。研究者がくそまじめに、学生から何か特色のある意識をたぐりださうとしたつて、そりや無理といふもんだ。

　今の日本にはもはや「学生さん」は居らん。居るのは何の変哲もない無職の平凡大衆。だから此の調査、学術的価値のあるものとは評し難し。

古古古古古米出回るぞう

（六月十一日）

●いやあな船頭歌がきこえてくる。

〽米が足りなくなるぞよう。　臭せえ古古古古古米が出てくるとよう。
米の値があがるぞよう

亭主「どういふ訳であらうか、六年前には余剰米六百五十万トン、よつて減反休耕六十万町、にもかかはらず、はや在庫の超古米二十万トンのみにして、米の予想消費量が三万トンも供給を上廻るとはこれいかに」

女房「お米をバカにした罪ですよ、そもそも日本は豊葦原の千五百秋の瑞穂国なんですからね、それを何ですか、やれパンの方がいいのなんのと、やたらに新らしがつて見境もなく西洋かぶれしてゐるから、こんなことになるんですよ」

亭主「さういへば、あの当時、米を加工してアスファルトの代用にしたら、なんてほざいてござつた奴も居たつけな」

女房「お米を足げにするなんて以ての外、許せません」

若いの「それ、違ふんぢやないすか、青少年の一番好きなのは、ライスカレーにカツ丼だといふこつてすよ。だから、食ひこんぢまつたんぢやないのかなあ」

食堂庁長官「ライスカレーとカツ丼をメニューから外させんとあかんな」

上州小幡の殿様の知恵

（七月九日）

●霧雨にけむる上州路を歩く。
ところは甘楽郡、吉井、富岡、七日市を過ぎて丹生の村里まで足をのばした。

道端に、古びた農家がある。その二階では繭のえりわけをやつてゐた。声をかけると、気の良ささうな婆さんが「おいで、おいで」と指し招く。梯子をギシギシ登つて板敷へ推参なし、話し込む。

この白い玉がキロ当り千八百円ぽつちだとさ。年に三回の収穫だが、あんまり儲けにならんと、ぼやいてたつけ。

●踵をかへして小幡の陣屋町を訪れた。織田信長の孫が二万石で暮した静閑地、気に入つたね。さしづめ、坂東の津和野つてところか。感心したのは水道だ。

三百五十年前のその昔、殿様は二百余人の家来の家へ差別なく一日同量の給水が行きわたるやうに工夫をこらした。溝の底は粘土で固めて流水が地下へ滲みこむのを防ぎ、生活排水を流しこむことを厳禁したといふ。立派な心掛けぢやあないか。巧みな工夫ぢやあないか。殿様の爪の垢でも煎じて飲め、現代人。

町角で、胡麻味噌入りの饅頭を買つて食べた。これはいい。もぐもぐ。

新聞の教科書検定批判は毎年同じ

（七月十六日）

●教科書検定の結果公表。各紙はこぞつて大々報道、朝日は「強まる国定色」と断じて、検定が「現政権に沿う姿勢」だと批判した。その一例。

　社会主義の政治制度についての或る記述を取上げる。著者は「専制政治と異なり、人民主権にもとづく民主的な権力の集中」と書き、文部省は「選挙の自由がないことを補え」と意見を付けてゐるが、これは「書かせる検定」だから、国定化路線すなはち悪だといふ次第。笑はせるよ、全く。

●記者も記者なりや著者も著者。社会主義専制権力の宣伝文句をその通り行はれてゐるものと偽つて高校生をたぶらかさうてえ魂膽なんだ。これぢやあ、教科書を作る資格が無い。そこへいくと、サンケイは違ふ。「視点」で検定を総評し、「国民の大多数の共通認識に沿ったものだ」と述べてゐる。まあそんなところかな。

●検定の関係者に聞いてみると、教科書の検定申請原稿は年々歳々悪質化の傾向にあるんだとさ。さうだらうとも。今の著者たちがもつとまともな人間に席を譲らなけりやあ、こんなバカバカしいこと世界無比なる「教科書問題」は消滅せんて。怒るよ、ほんとに。外は暑いが、腹の中はもつと熱いや、煮えくりかへつてらあ。

全米地理学協会地図は北方領土を正しく扱つてゐる（七月三十日）

●サンケイ七月十三日朝刊は良い報道を流してくれたよ。

見れば、全米地理学協会発行の世界地図に、今年から我が北方領土を、「曾ては日本国の不可分域 integnal part でありながら、大戦後いまもってソヴィエトににぎられている島々」と注解を付してある。

　国際的権威のある地図にこれだけはつきり書かれちまつちやあ、一部の対ソ連ペコペコ派は困るだらうなあ。

●ペコペコ派は「北方領土を返せ」なんてのは国民全体の主張ではなく、自民党の外交政策にすぎん、などと公言して憚らない。さりとは付ける薬も無い。日本にはどうしてかうも拝外蔑内人間が跡を絶たんのだらう。

●その昔、山崎闇斎は、多勢の門人を前に発問し、「もしも孔子を大将、孟子を副将とする大軍が日本へ攻め寄せてきたら、みんなはどうする」と解答を迫つた。満堂、寂として声もなく、ただ生唾をのみこむばかりであつた。闇斎大いに慨歎して解を与へ、「これと一戦して両先生をからめとるのみ」と。いまのペコペコ派はきつと、グウの音も出なかつたその門人どもの子孫だつぺ。

若い者よ、どこへ行く

（八月六日）

●千葉県の佐原に用があつて、込み合ふ高速道をのろのろ行くと、路側帯へ出た一台の小型車、ピュウとばかりに駆け抜けてゆく。

　後方に停つてゐたパトカー、それ獲物よござんなれと疾風の如く追跡、全速で逃げる小型車はアッといふ間にガードレールに激突してよれよれに大破し、若いの三人が血まみれとなる惨状を呈した。

　見れば、烏賊《いか》の甲羅（サーフボード）がすつ飛ばされてござる。いのちの無駄遣ひはいかんなあ。

●大好物の雀焼をもらつて家に帰り、これを肴に一杯。やがて風呂。湯舟につかつてのんびりしてゐると、突然、裏の池の向うから、子を叱る母の金切声が夜のとばりをつんざいて我が耳を刺しつらぬく。

　「中学一年にもなつて、まだこんなこと分らないのか、このアホウ、両手をついて謝れ、手をつかないか、ドアホウ」

こりやあ、おちおち風呂に入つてもゐられんわい。母親の怒りは心頭に発し、昂奮のあまり言葉を区切ることさへままならぬ。

　愛と憎悪の相乗積、母子ともに哀れよなう。老書生、憮然として独語す。

「もう、おそいよ」

マル優預貯金制度を廃止せよ

（九月十日）

●大阪国税局の調査によれば、近畿二府四県の脱税マル優九百億、追徴課税二十七億、そのほとんどが銀行の泣き納めで、預金者は知らん顔の半兵衛だとさ。こんなのは例によつて氷山の一角なんだから、民富んで国貧しきは当り前だわさ。

　マル優なんてチャチな制度は即刻廃止せよだ。総ての預金に一律課税してゐりやあ、こんな恥づかしいこた起らん。

●どだい、近畿《かみがた》は商売人の天下、損得勘定にかけちやあ無類の利口者揃ひ。つまり、根は全くアナーキーなること農民を上廻る。だから税金なんてもんはそもそも不条理な圧制なんや、てな見方に徹しとる。利息は己が金が産んだもの、丸取りは持主の基本的人権、課税はこれを侵害する自然権違反だ。けど、税務署は「泣く子と地頭」やで、反抗は無駄や、摘発されたら掛引きの負けとあきらめて首すつこめ、今度は勝つてやらうとまた脱税すりや、えやないか、てな寸法だから、税務署の方も泣く泣く、汗だく。いたちごつこにや終りがあつても脱税ごつこに切りはなし。

●洛北の料理屋で酔客「公給領収書いらんさかひ、まけとき」

　女将「へえ、おほきに」

米人ノエル・ジョンソン八十五歳氏の猛烈な覇気（九月二十四日）

●敬老の日―

そらぞらしいねえ。この狭い日本に六十五歳以上の男女が一千万以上もひしめいてゐるといふんだから、敬老の方も薄まるなあ、あたりまへだよ。

それも達者で、若いもんを叱りとばしながら陣頭に立つて進撃、なんてえのはごくごく僅か、病院の待合にぎゆう詰めになり、うつろな眼をして福祉々々の念仏三昧、いかん。立て、歩け、走れ、そして、頭を使ひ、世のため人のために奮励せよ。

●八十五歳の米人ノエル・ジョンソン来訪。この男児、七十歳のとき心の臓を病んでベッドに呻吟、葉書も書けない失意の態たらく。かくてはならじと息子に励まされてガバと跳ね起き、まづ歩き、次に走り、二年後にはシニア・オリンピックに出場し、ボクシングのチャンピオンとは相成つたり。八十にして四十歳の敵を倒し、著書は三冊、百を越えたらもう一冊と、張切つてござる。お見事。

●ノエル氏の面相を熟視するに精悍、体軀は細くキビキビした感じ。これだよなあ。かく評する小生、遂に満七十歳を越えるが、心の臓にひびが入つてはをらん。息子に激励される必要なし。ただし、拳闘はご免だ。

北條政子の黒髪発見に永井路子の妙な推理

（十月八日）

●北條政子の黒髪発見—NHKはおもしろいドキュメンタリーを見せてくれた。こりゃぁ、高点合格だ。

政子は、わが長子頼家を伊豆の修善寺におしごめ、まもなく殺害せしめた。その追善供養に仏像を造り、胎内に彼女の髪を納めた。それは、夫の右大将頼朝が急死したときに、自らおろした髪で、十一年前のものである。初老の白髪まじりの髪——そんなことってあるのか。

●女流作家永井路子、同じく瀬戸内晴美、二人とも揃って政子の髪であるはずはないときめてかかり、愛妾のものに違ひないと断言した。しかし……

科学的調査の結果は、熱海の伊豆山神社にある曼荼羅の「阿」（梵字）に用ゐられた政子の髪とほとんど完全に一致したのである。

血液型はO、毛髄は断続的、カリウムとカルシウムの含有曲線は同形。

●女流作家、殊には政子を描いた「草燃える」でミーハーをうならせた永井女史はアングリ。どうも、小説家ちうもんは、女の黒髪とくればすぐ色情狂的になるやうですな。母が子に追善供養、といつた発想は絶えて浮ばんらしい。もつとも、それでなけりゃあ、小説にはならんか。

鎮守の森は秋祭り、神輿のねりかたに文句あり（十月二十二日）

●鎮守の森の秋祭りだ—もとは武蔵国北多摩郡下祖師谷村、明治時代には戸数八十五の純農村だつたが、昭和三十年代に猛然たる宅地化が進行、いまでは〝うさぎ小屋〟の大群にギュウギュウ押詰められて息も出来ない狭苦しさ。

だが、八十五戸の氏子衆、よく頑張つて年々歳々設備は充実。本殿、神明さまに合殿は熊野権現、両脇に三峰さんとお稲荷さん、また祖霊社、神楽殿と神輿庫、手水の槽には銅葺の屋根、かの日露開戦の際に戦死した野砲兵第十四聯隊の砲手加賀美謙吉の忠霊碑、立派なもんだよ。

●今年はまた、大いに寄進を募つて気勢をあげ、玉垣に添つて寄進者の氏名と金品の額を刻んだ石柱をばおつ立て並べようと、もりもりしとるわい。そりやいいんだが、神輿の巡幸、なんとも気勢があがらんなあ。

巡査を先導にして大太鼓《だだいこ》、これに続くは車上の老人衆、子供みこしに大神輿。だが、太鼓の音はボテン、ボテン、子供らは辻でも神輿を担げない、ゾロゾロ引つぱるばかりなり。さあて大神輿はと見てあれば、気合が入らず、声も出ず、どうも、酒がたらんやうだ。大体、近頃のお神輿はやたらに上下にゆさぶるだけで、一向もまないなあ、どういふわけだ。ソレ、ワッショイ、モウメ、モメ、ワショイ、ワッショイ。

日銀新券の肖像は英語の先生ばかりなり

（十一月十二日）

●日銀券の規格図柄更新——

受験生「福澤諭吉、新渡戸稲造、夏目漱石、考へてみると、みんな英語に強い先生だ。大蔵省は文部省とタイアップして、国民総動員運動『英語のすすめ』を打出してきたんだろ」

会社員の兄「違ふ、幼稚だな、お前は。福沢は『学問のすすめ』を著し、これがベストセラーで大金持になつたんだし、新渡戸は南部藩勘定奉行の家に生まれた。財務官僚の子だ。また漱石、名は金之助、そのものずばりだよ」

母親〈息子に向つて〉「なに呑気なこと言つてんの。政府はね、教育改革の一環として三人を選んだのです。どう、あんた、一万円（慶應）の方を受ける、それとも五千円と一千円、締めて六千円の大学（東大）にする、どつち」

父親「バカモン、これは大蔵省の深謀遠慮なんだ。福澤諭吉は『瘠我慢の説』を著してサムラヒの意地を示し、新渡戸稲造は英文で『武士道—大和魂』を著して『武士は食はねど髙楊子』を全世界に伝へた。夏目漱石は『坊ちやん』で汚れた教師をたたきのめした、こりや知つとるぢやらう。大蔵省は耐乏八幡と清潔明神のおふだ配りを始めたんだよ、わかつたか」

論（ロン）ずるより生むが康（ヤス）し――増税　（十一月二十六日）

●レーガン大統領再選―選挙戦最大の副産物とは何か。ＮＨＫが遂にアメリカの放送局になつちまつたといふ事なんである。
　永い間、ＮＨＫはレーガン・モンデール戦のニュースを追ひ続け、たれ流し続けた。今朝は何州の情況、午後はどこ州、夜はなんとか市、いやはや、いつたい、何の必要があつてこれほど熱と馬力をかけるんだ、よその国の元首選びに。ものごとは程度問題だよ。日本の放送局たる識見と矜持まるでない。
●中曽根首相再選―その後の巷のうはさ話を聞いてゐると、第二次内閣の役目は増税に在り、それに目鼻が付いたら店をたたませるんだと意気まく声がする。政治のこたあ一向わからん老書生、夢の中に中曽根君を呼び出して、「どんな、あんばいだ」と尋ねてみた。首相、答へて曰く。
「論（ロン）※ずるより、生むが康（ヤス）し」
●てなわけで、再任首相は折を見てアメリカへとぶらりの旅、どこか、肩の凝らん場所でレーガン氏と茶飲話でもしようと誘ひをかけてゐるらしい。それも悪かあないな。ミシシッピーを外輪船のショーボートで下り、ニューオルリンズのフランス町で、なんてのはどうだい。

※中曽根、レーガン両氏は互にロン、ヤスと呼び合ったとか

エスカレーターに同情を禁じ得ない――児童の怪我（十二月二十四日）

●地下鉄有楽町線飯田橋駅エスカレータで、将棋倒しの事故あり、小学生等二十八人、軽い怪我――

世間「機械の管理状態を総点検せよ、どこかに欠陥があるに違ひないぞ」

エス「ふざけんなつてんだ。なんでも俺たちのせゐにしやあがつて。乗つた奴等をよく調べろ、まぬけめ」

校長「いえいえ、うちでは、エスカレーターの上では〝動かない、騒がない、遊ばない〟の非核三原則を厳守させてをるんでありまして、他の学校よりマナーやエチケツトはすぐれとるはずなんでありまして、その時も、引率教師六人が付いて指導に当つとつたやうなわけで、まさか子供たちがいたづらなど……」

●陰の声―そりや教師ぢやない、案山子《かかし》つての――

記者「児童はふだん、エスに乗るなと教育されてたんでねえすか」

校長「さう、さうですとも。ううん、あ、負傷したお子供さん方は、何も無理して登校なさらなくもいいつて、なぐさめといて下さいな、先生方」

●陰の声―エスカレーターに同情を禁じ得ない。

酒屋の勘定は年二回

（十二月三十一日）

●師走たあ、面白い宛字だねえ。坊主はそんなに年末の掛け取りがあるのかなあ、しかし、盆はさうだらうが、暮はそれほどでもあるまい。本当は坊主なんぞと関係なし。「しはす」は「せはし」の訛りなんだらう。忙しいといふだけのこと、こりやあ、東北訛りだつぺ。

●老生宅では酒屋と米屋の払ひが盆暮の二度、これ、何も此方で決めたことでない。向うが勝手に年二回しか取りにこんのだ。いくら貧乏書生でも、まさか夜逃げはすまいと、高を括つてゐるに相違ない。

　酒呑の家には自然と酒が寄つて来る。だから、買ひ酒は存外少いもの、おまけに酒屋は裕福だから、チビチビした勘定取りは沽券にかかはるとでも思つとるんだらう。年二回の勘定となると、金走りのテンポがのろくなつて、経済生活の安定にもつながるんではなからうか。夜逃げせん自信のあるご仁は宜しくこれに追随せられよ。

　老生の好きな詩句を一つ。高杉晋作の遺した英風颯爽たる七言。

三尺佩刀三寸筆
風流節義在此中

昭和六十年

大文春、表紙の無神経ぶり

※タイトル編者

（一月二十一日）

●有名な綜合雑誌を自分で買ふのを止めてから、年すでに久しい。机上には沢山の雑誌が積んであるが、大部分は贈呈印を捺した物ばかり、滅多に全部読むことはない。まあ、一冊の中、めぼしい一篇拾ふぐらゐが関の山だ。余生がみるみる少くなつてきたから、読むよりも考へる方へ時間をまはしてゐる昨今である。

●そんな私が、珍しく文藝春秋の新年特別号を買つた。尊敬する市原豊太先生の「国語審議会委員への公開状」といふ大論文が載つたと教へられたからである。

さて、此の文春、表紙絵は杉山寧筆の「元」。千木《ちぎ》鰹魚木の姿も床しい神明造神殿の上空に輝く黄金の旭日、いかにも昭和六十年の春にふさはしい清々しさ、と感銘を覚えながら眺めてゐると、絵の上に赤字で「夫・中川一郎『死の真相』」とあるのがいかにも見苦しく、けがらはしく思はれた。吉祥画の頭上に凶句を掲げるとは、なんといふ無神経ぶりであらうか。大文春の令名を傷けること甚だしい営利感覚だといはざるを得ない。人はこの赤字に釣られて文春を買ふであらう、過去に突発した政治家の自殺に猟奇、不浄の眼をギラギラさせながら。文春は売り物にすぎないと開き直る積りなのだらうか。さりとはなさけない話だ。

小中学校の水増学級費二十七億の不正

（二月十八日）

●三歳の孫女と朝食。「おごちそうさま」と、勢よく言ふので、ひよいと見ると、ご飯少々、おみおつけ少々、しらす少々、どれもこれも、ちよつぴり残してゐる。白髪の祖父、厳然として、「いかん。きれいに食べてしまへ」と命ずる。

孫女、やむなく残飯の自己処理に取掛る。まもなく仕上がる。教育とは、食ひ残しの二分を完全に腹中へ納めさせる強制力である。

●都内の公立小中学校、昭和五十六年以降の調べで連年の悪事露顕に及び、管理者の処分あり。その罪状、余剰教員を整理せず、二百五十八人を養ふために二百二十六学級を水増しし、公金二十七億円をちよろまかしをつた。

彼等をして此のふとどきを敢へて為さしめたる元凶は日教組であらう。人員整理は組織の敵だ。からだを張つてもたたかふぞ、かう脅かされては弱虫校長、教委のたぐひ、ひとたまりもない。土下座管理と相成ること必定である。

●教育改革は教育界自らの手で、なんて白々しい、政治倫理の確立は国会で、これも白々しい。いまや、自浄だの自治だのはウソの替へ言葉に過ぎん。はたからどやしつけ、ひつぱたいて捻ぢ伏せなけりや、まともに道を歩く力も無くなつてるのが、我が愛する日本たあ、情ないよ。

去年小売商品の売上トップは焼酎

（二月二十五日）

●日本経済新聞社が調査発表したところによれば、昭和五十九年中に出廻つた小売商品中、売行きの横綱はなんと、焼酎であつたさうな。

横綱は東西少くとも一人づつは居るべきだが、焼酎に対抗して綱を張る品、一つもなしとは驚き桃の木、山椒の木、ブリキにタヌキに蓄音機だよ。灘の生一本の運命やいかに。

●由来、日本人は酒好きである。かの有名なる魏志倭人伝にさへ、倭人の酒好きは特筆されてをる。しかし、さうであれば逆に、酒を滅さんとする勢力も強い。鎌倉幕府はアメリカに先立つこと数百年の昔、徹底した酒退治法を強行した。そんな法律に締め上げられる前に酒をやめようと思ふ、気の弱い人々のため、次のごとき読売新聞の記事を紹介する。ただし、これ、明治二十一年六月十四日号でござる。

日本橋浜町三丁目寄留の津村おいしなる女が、酒不可飲と銘打つたる丸薬の製造販売許可を取つた。此の薬、鼠の黒焼と小麦粉、それにある種の物を七分三分の割に調合して丸めたるもの、一日一匁五分を六週間服用するときは、いかなる飲兵衛もダウン。この丸薬、果たしていかなる評判をとつたりや、売行きやいかに。

もつとも、こんな丸薬、老生にやあ、用は無いが。

靖國神社参拝、祭文を奏す　（三月四日）

●陸軍船舶幹部候補生隊の同期が靖國神社に昇殿参拝して、戦没隊友の慰霊祭を執行した。最年長の故を以て、老生が祭文を作りこれを奏上した。同期生二百九十八名中、戦死は一百五名、およそ三分の一が花と散つたのである。

　祭儀のあと、松平宮司のはからひで、映画「靖國の一日」、「みたままつり」の二本を覧る。追憶は白雲の湧くが如く、流るるがごとく、感動は室内に充満し、涙声が聞えてくる。

●沖縄から、知念朝睦少尉が夫人同伴で、福山からは連下政市少尉が参列した。二人は、曽野綾子著「ある神話の背景―沖縄・渡嘉敷島の集団自決」に登場する。知念は海上挺進第三戦隊の副官であり、連下は小隊長であつた。

　マスコミの心なき記事に端を発して、隊長赤松大尉が島民に集団自決を命令したと信じこんだ沖縄の民衆は荒れに荒れた。歴史の教科書までが必ずこれを記載する。老生は断じてこれを信ぜず。

●参拝のあとの総会では、二人の回想談が予定されてゐたが、宴たけなはとなつてはこれも無理で、流された。いづれ又、静かに話を聞ける時もあるであらう。

じぢ・ずづ問題解決せず——改定仮名遣案

（三月十一日）

●国語審議会が「改定現代仮名遣い（案）」を発表した。現音表記主義に立ちながらも、歴史的仮名遣（正仮名）尊重を打出し、付表に、現代音韻に対する正仮名の欄を設けたなどはお手柄といふべし。

●だが、安心するなあ、ちくと早いよ。例の「じ・ぢ」「ず・づ」問題が残つとる。新仮名推進党はよつぽど「た行」が嫌ひで「さ行」が好きらしいな。なんとかして「ぢ・づ」の使用範囲を狭めようと、陰謀をたくらんでござる。「二語の連合の意識の薄い」語には「ぢ・づ」を用ゐず「じ・ず」と書くなんてめうちきりん、へんてこりんな原則を立ててゐるのが陰謀の陰謀たるゆゑんだ。薄からうが濃からうが、一語は一語、二語連合語はあくまでもと二語なんだ。

●地面は二語意識が薄いから「ぢめん」でなしに「じめん」にする。ならば、土地の肥瘦は地味（ちみ）でよいが、派手の反対は地味（じみ）なのかい。まつた、天文に対するは地文（ちもん）で、織染物下地の模様は地文（じもん）であるか、地代を濁れば「じだい」であるか。地所、地場、地取はいかに。古い言葉の地方（ぢがた）はどうなる。あ、グラグラ地震が「じしん」ときた。わしや、かなはんよ。

水無瀬に憩ふ

（三月二十五日）

●親戚の婚礼で、大阪へまかり越す。帰途、タクシーで千里ニユウタウン、箕面・茨木・高槻を馳けぬけ、青葉茂れる桜井の木の下陰で楠公父子対面の悲話を偲び、次いで水無瀬の里をおとなひぬ。

　後鳥羽上皇の御詠一首。

　　見渡せば山本かすむ
　　　みなせ河
　　夕は秋と
　　　何思ひけむ

此処はもと上皇の離宮、院の寵臣藤原氏、上皇が隠岐島にて神去りますや、御影堂を水無瀬に建ててお祭りし、以来七百五十年、子々孫々連綿相承けて今に至る。水無瀬子爵家これなり。

　広縁の客殿、中庭の茶室燈心席は近世風雅の趣を伝へて、低回、去るあたはず。

●社務所で絵馬二枚を頂戴する。代金六百円に対して一千円を呈し、燈心席の拝観を乞ふ。これ、二人で六百円といはれたが、ぼんやりだねえ。「どうぞ、そのままお納め下さい」なんて言つちやつて、二百円不足なのに気が付かん。向うも向う、「どうぞお入り」とは、さすが風雅のお家柄。

　女房どん、拝殿で引いたおみくじに大吉と出たのでホクホク。こりやあ、風雅とは言へんなあ。

国会議席数と党の収入が天地の差――共産党（四月八日）

●昭和五十八年中に掻き集められた政治資金の総額が二千六百七十五億円にのぼると発表された。

　ところで、新聞は収入のことばかり述べ立ててござるが、数表をよく見ると、おもしろいのは収入ではなく、収入と支出の関係なんだ。どの政党も軒並み、支出が収入を上廻り、苦しいよ、楽ぢやないんだよと弁解してるみたい。

　共産党は百四十六億の赤、自民党は百とんで七億の足、社会党は六十七億の出目、民社六億弱、公明八億六千万、新自ク四千万、みなマイナスなんである。なんだか、談合したみたいだよ。歴史家が観察したいのはその辺のカラクリなんである。

●議会勢力に比して、収入の面ではいつもトップの共産党、これも特徴的だ。しかし、世界日報（三月二十五日）の社説によると、党中央の最大資金源である赤旗の販売成績が、このところ、じり貧状態で、中には党員数の六割台しか売れてゐない地区もあるとか。党員のくせして革命を忘れ、※ブル新ばつかり見てゐる不逞のヤカラが増えてゐるとは驚きだが、党員も人間、赤旗があんまり作為的だと、自然、そつぽを向きたくもなるだらうさ。みんな、クライン・ビュルゲライ(小市民)なのだよ。

※ブルジョア新聞の略で一般紙のこと・共産主義者の口癖であつた。

わが庭の花盡し——病中閑話

（四月十五日）

●登《のぼる》と名を付けてやつた六番目の孫、はたしてどんな面魂をしてござるか一見せんと、九州行を予定したところ、突然発熱、寝床に沈没、一切オヂャンで混々沌々。

枕に乗せた頭を左に向けると、先考描くところの桜の一枝が目に入る。この一幅、年紀は無いが、五十年ほど前に父が描いてくれた絵である。

庭の桜はまだ動きだす気配はなく、うすら寒い日が続いて紅梅が桜に「まだ早い、ひつこんどれ」と、抑へてゐるみたいだ。

わが猫額植物園の管理人たる女房どんに聞く。

「いま、うちにゃあ、どんな花が咲いとるんだね」

管理人「言ひますよ。書斎の前には白木蓮。その近くには沈丁花。庭の地べたにゃ花大根。海棠、春蘭まだつぼみ、柊《ひひらぎ》南天黄色です。連翹《れんげう》佗助、雪割草、生け垣みれば乙女椿、室の中にはシクラメン、君子蘭は上品で、無いのが残念コブシの花、あたし、だあい好き」

病人（胸の中で）「ふうむ。残花あり、満開あり、そしてつぼみありか。これで雲が散れば、一気に春爛漫だなあ。爛漫は秋田の酒か、ありやあ、ちとあまい、起きたら、庭で花見酒といかう。」

ソロバン日本よ、どこへ行く

（四月二十九日）

●アメリカ国会
—打倒日本関税障壁。
ホワイトハウス。
—穀物一千万トン、日本が買つて飢ゑてる国に贈れ、たつたの十億ドルだ。
—日本商品は日本人に売れ。内需、内需。
アメリカ人
—商業捕鯨、全面禁止だ。残虐日本。
世界の国々。
ワーイ、ワーイ。日本は売るな、どんどん貯金をおろして買つたり、買つたり。
中曽根総理。婦人たちに、
—なにとぞ、年に百ドル、アメリカの品を買ひあげて下さあい。
世界の国々。
—だめだい、そんなの、日本はこすい、日本はずうるい。ワーイ、ワーイ。

●老歴史家、山羊鬚《ひげ》を撫しつつ
—明治日本は富国強兵をスローガンとして突進した。もともとまづしい日本国、富国の夢は消えたれど、尚武の貯金がものをいひ、強兵は成るトテチテタ。

—サムラヒ日本打倒。

世界は日本をおし包み、総攻撃の鬨の声。刀を捨てた日本は、たちまち築くドルの山。かくて再び四面楚歌。ソロバン日本よどこへ行く……。

古い童謡の破れた絵本を愛す

（五月六日）

●隣家に鯉幟《こひのぼり》があがつた。いいねえ。

〽屋根よりたかい
　こひのぼり
おほきな　まごひは
　おとうさん

急に昔なつかしくなつた亭主、女房に、

「おい、子どもらが残して行つた童謡絵本、あるか」

女房、ギシギシ二階へ上つて、数冊もつてくる。ふうむ、よくもこんな古物がとつてあるなあ。ぼろぼろとまではいかんが、綴《とぢ》に紙を貼つて補修してある。昭和二十四年印刷発行のものから二十八年のものまで、まさに、まづしき時代の大切な記念品だ。使ひ捨て時代の子に見せてやりたいよ。まつたく。

　ちなみに、本の値段は一律七十円、そのころの物価の中では高い方だと思ふ。

●鯉幟をあげたい、これが老生の念願であつた。わが家の門口に滑車の付いた高い竿を立て、祝祭日には大きな日の丸、端午の節句には鯉幟、いかにも爽快ではないか。
　しかし、なんとなく実行しないまま、他人の家の幟をながめて、つまり借景で済ますことになつた。ものぐさ太郎といふべきか。いや、実はそれにまはす金が無かつたから。

教育への疑問——臨教審へ

●臨教審、審議経過の概要(2)を公表。各紙に大々的報道をされたからには、当方も知らぬ顔の半兵衛をきめこむわけにも参るまいて。

しかしなあ、口から先に生まれてきたやうな委員の面々、口角泡を飛ばして激論半歳の経過を一口でほめたり、こきおろしたりするのは気の毒千万。それに、なにが何だかわからんてな面もあつて、ものが言ひにくいよ。

▲老生の教育原則は至つて簡単でござる。すなはち、手には職あり、礼儀作法正しく、義に勇む心あつて人生街道を堂々進む人間になつてくれればいいのだ。

個性を伸ばす。むづかしいね。ゴム紐は引張つたつて、手を放せばピユンと元へ戻つちまふよ。恐らく委員諸先生はゴム鞠を考へてるんだらうなあ。鞠は頭を強く叩けば元の高さより高くはねかへる。けつとばせば遠くへ飛んでゆく。ならば、児童・生徒はひつぱたいたり、けつとばしたりするにしかず、これでは戸塚ヨットスクール並みだが、先生方のは決してさういふ意味ではないらしい。「尊重」なのである。この語意は、どうも、丁寧に扱ふことであるやうだ。一人、一人を手塩にかけて。こりやあ、大変だね。できさうもないぞ。個性はほつとけばいい。自然に自力で伸びるもんだ。教師さへ立派ならな。その教師が成つとらんのが教育改革論発生の原因だつてこと、ゆめ忘れ給ふな。

（五月十三日）

二千年前の友情を語る金吉松総領事

（五月二十七日）

●北京市当局筋の明かにしたところによると、蘆溝橋事件発生現場の跡地附近に、中国人民抗日戦争記念館が建設される予定であるといふ。その目的は、「日本の侵略を次代に語り継ぐためである」とか。また、八月には、抗日戦争勝利四十周年記念行事が各地で催ほされるとのこと。

　向うは勝利四十年、こちらは敗戦四十年、それぞれ記念事業や記念行事が行はれるが、入れる心も、あらはす形も違つてくるのは当然だらう。

●福岡の西鉄グランドホテルへ行く。正面、側面のものものしい警備、路上の反共宣伝車からの怒号。はて、何様のお成りならんと様子をうかがふに、中国総領事金吉松氏、奥田知事ほか、政財界、報道関係、友好団体の紳士方およそ五百人、博多に総領事館が設置されるのをことほぎ、一大レセプション開催とのことなりき。なあるほど。

●金総領事いはく、「中国と福岡とは、二千年にわたる友情の歴史があります……」。

「友情」かどうかは歴史学の関はるところにあらず、しかし、二千年前に戦争をしなかつたことだけは確かのやうだ。「日本の侵略を忘れないで、子孫に語り継ぐ」のと、二千年前の友情の強調、げに、外交とは奇妙なものでござる。

ストは止めたと言ふ日教組の落ちこみ方

（六月三日）

●〈ＮＨＫテレビ〉日教組が、今後、「賃上げの手段としてのストライキはしない」といふ方針をうちだしたさうな。ストによる賃金カット分の組合による保障がむづかしくなつてきて、すでに五十億円も未払がたまつてゐるとのこと。

要するに、兵糧が不足してきたからストはやめたと言つてるだけのことで、頑迷固陋で無知蒙昧な彼等の中味が変つてきたわけでもなんでもない。ストをやめるにとどまらず、百尺竿頭《かんとう》一歩を進めて教員組合そのものを解散に追ひこまねばやまず、といふのが国民の立場なんだから、これを忘れてはならない。

●ストはやめて、もつぱら教育改革に取組むんだと、彼等はほざいてござる。改革さるべき者が改革を叫ぶとは笑止千万。頭首をうなだれてひたすら罪を謝すのが正道なのだ。まだ、全然、だめだね。

●しかし、日教組も世間の風の冷たさには、さすがにこたへてゐるらしいなあ。虚勢の中にもちらちらとそんなへつぴり腰が見える。ストをやれば反発くらふのは目にみえてゐるからなあ。これまで味方についてゐた大新聞もそつぽを向くに違ひない。さうなりやあ、「文化的進歩人」も「進歩的文化人」も手を引くだらう。君子、危ふきに近寄らず。

つりがね池に鴨が来た

（六月十七日）

●毎朝の日課は裏の池（公園）のゴミ拾ひ。月曜日の朝は、とりわけ手間がかかる。なにしろ、前の日に押し寄せる大餓鬼・小餓鬼ときたら、庭園とゴミ捨場の区別も付かん奴等なんだ。

●池の端に、白い花菖蒲が一輪、孤立無援の姿で咲いてゐた。可憐なりや菖蒲と、毎日その安全を見届けてはホッと息をついてゐたものだが、ついに踏みにじられて、地べたに横たはり、すでに茶色に変りかけてゐる。

●ちかごろ、鴨がつがひで遊びに来るやうになつた。池の端の杭の上に仲良くとまつて、顔をうしろにまはし、嘴《くちばし》を背羽の中へさしこんで朝の居眠り、僧侶が雨期の一時に場所を選んで集まり、座禅を組むのを安居《あんご》といふのださうだが、鴨のつがひの此の静座、まさに安居の姿だ。

鴨が来るのは朝のうちだけ。暴力団の押し寄せる昼間は避けてゐる。ちやあんと、知つてるんだ。しかし、同じ人間でも、わるさをしない者だとわかれば、そばへ寄つても逃げはしない。向うは水に遊び、こつちはせつせとゴミ拾ひ。言葉は通じないが、なんだか、

「やあ、おはやう」

と、挨拶を交してゐる感じがしてならぬ。

——日本人は決して自然をいつくしむ人種ぢやない——

水芭蕉

江戸城天主閣復原案の愚劣

（六月二十四日）

●天皇御在位六十年記念の〝目玉〟江戸城天守閣を復原——

びつくりするぢやあないか。この計画、東京新聞によれば、すでに政府首脳、自民党三役、財界巨頭らの合意が成立してをり、六十一年度予算に調査費をもりこまうとしてゐるのだとか。ふうむ。

老生は真向から反対をする。おやめなさいそんな愚挙は。

●江戸城の天守閣なんて、いはば、まぼろしの大建築だ。丸焼けになつて姿を消してから三百三十年、当の徳川将軍家にも、江戸市民にも縁の無いしろものだ。ましてや、皇居に必要な施設でなんかありはせぬ。

計画では、工費二十五億円の鉄筋コンクリート造りで、内部には人を入れない外見だけの高層ビルにするんだとか。なんのこたあない、ガランドウの野外映画セットと同じぢやあないか。空疎とは、かくの如き物をいふ。

●え、なに、銅像だつて中はガランドウ、外から見るだけの物にすぎんだつて、お黙り。銅像は信仰や崇敬や芸術心の表現だ。だから外側にいのちがある。天守閣も一種の芸術作品といへるが、本来は軍事施設であり、四周を威圧する武断政治の象徴なんである。

故に、常に平和を祈念し給ふ陛下にささげるにふさはしからずとなす。

飛龍在天の筆で留魂の二大字

（七月八日）

●久雨霖霖、からだの奥まで湿気がくるやうだ。わが家の紫陽花《あぢさゐ》も、庭の一隅で顔をうつむけ、濡れた地面の青苔におでこをすりつけさうになつてゐる。

　文机を向うへ押しやり、その空いたところに画牋の半切をひろげて書の稽古と風流がる。紙は女房どんが物置から掘り出してきた。亡父が五十年も前に使ひ残した古物とは、我ながら驚きだね。時代がついて、薄茶に変色してござるは。紙がおさがりなら、硯も墨もまた然り。ただし、筆二本は新調した。値の高い方は飛龍在天の銘。書くは小篆「留魂」の大文字。できるのかなあ。飛龍変じて蚯蚓《みみず》ののたくりと化すか。

●女房どん、のぞきに来ては酷評を下す。やれやれ、おやつにしませうと別室に赴けばこはいかに、カナダを発したインド航空がアイルランド近海で突如墜落、三百有余の生命が散つたとのニュース。たまげる間もなく成田空港、カナダ太平洋貨物機が爆発して死傷者を出したとの特報。悲しむべし悪むべし此の凶虐。

●飛龍在天なんぞといふ筆をもてあそんだのがいけなかつたかなあ。凶龍大海に毒牙をむき、鬼哭啾啾として魂魄鎮まらず、よし、もう一筆

――留魂。

いぢめは本能

（七月十五日）

●台風一過の朝、裏の池へ行つてみる。

小学校の腕白が四五人、たむろしてゐて、白い家鴨《あひる》にボカンと空缶を投げ、小石を飛ばした。怒つた白髪老、「コラッ」と一喝、「いぢめると承知せんぞ」と威嚇した。悪童どもは「ウン」とこつくりしたので、放免する。

●「児童生徒の問題行動に関する検討会議」と称する長たらしい名前の一団が文部省に、「いぢめ」の対策について緊急提言をした。校内にカウンセラーを置くがよい、被害児の転校を認めよ、などなど。

あゝ、事すでにここに至る、いまはた何をか言はん。子供はおとなの真似をしながら育つ。「いぢめ」は日教組教師の校長いぢめに始まる。校長は被害にをののいて転任する、みんな、子どもの目前で演じられてきたことだ。それを真似してどこが悪い、生徒はふんぞりかへつてゐるわいな。

●被害児の転校も感心しない。中途転入は当人をいぢけさせ、待ち構へる悪童の絶好の餌食となる。「いぢめ」は人間の本能の一面である。ことばを覚えた人間は、まづ、言葉でいぢめ始める。揶揄嘲弄・因縁づけといつた虐待がそれだ。やがて、手が出る足が出る。

—やせがへる負けるな一茶ここにあり

日曜日をねらつて来た物売撃退　（七月二十二日）

●午前十時。都議会議員を選挙しに行く。下駄をカラコロ、投票場へ。人影まばらな小学校の庭、ガランドンの体育館。静かに清き一票を入れて去る。

〔翌日開票。社会党凋落。うきわれをさびしがらせよ閑古鳥――猿蓑。〕

●午後四時。生垣のすきまに白服の男※二三人、うごめくのを見る。ハハーンと直観、豊田商事風だな。

白服「ごめんくださあい」

白髪「誰かね」

玄関の引戸を六寸ばかり開けて、相手をにらむ。

白服「〇〇商会ですが、ちょっとお話を……」

頑爺「いや、今日は日曜、休息日、失敬する、話は聞くに及ばん」

豊田商事風、見幕《けんまく》に恐れけるにや、あわただしく退散。向うにすりやあ、日曜は主人在宅まちがひなし、セールスの書入れ時とふんでゐるにきまつてるのだが、五月蠅《うるさ》いこと限りない。厄除のお札でも張るか。

●夜、投票した候補の身の上を思ふ。あぶないと言つてたつけ。いまごろはさぞ、胸ドキだらうなあ。

〔翌日正午ちかく、末席当選とわかる〕

※老人や主婦から「純金ファミリー」契約で強引に二千億円集めた豊田商事の永野会長殺害さる。（六月十八日）

ゴロゴロさまを聞きながらをかひじきの芥子和（七月二十九日）

●名古屋場所—どうも冴えない大相撲。その隙をねらつたか平幕の北尾、横綱、大関を総《そう》嘗《な》めにして意気軒昂はよかつたね。

このとき、一天にはかにかきくもり、ゴロゴロさまが鳴り出したと思ひねえ、ササーつと降り出した雨、これなん驟雨、スコールだ。梅雨は明けるんだなあ。

●雷神を肴に酒杯を傾ける。

カミさん「ガラス戸を閉めてくださいよ、あたしやあ、カミナリ、嫌ひです。どうも、落着かないよ」

宿六「そんなにいやかい」

カミさん「妾の曾祖母《ひいおばあちゃん》の実家では、仏壇に落雷したさうですよ」

宿六「それぢや、お岩※だ。まあ、お盆だから仕方があるまい。さしづめ、俺は民谷伊右衛門てえところか。

—山形産「をかひじき」の芥《け》子《し》和《あへ》を箸でつまむ—

●中曽根総理。パリはソルボンヌ大学を訪ね、郷里上州の名物ゴロゴロさまみたいなフランス語で講演したとさ。ミッテラン大統領には自作の仏訳俳句集を贈呈、その校閲を、旧制静岡高校で教へを受けたオーシュコルーヌ先生に頼んだんださうだから、旧恩忘れぬ粋なところもあるよなあ。

この小咄に「落ち」は無し、桑原桑原。

※四世鶴屋南北作の歌舞伎。「東海道四谷怪談」のお岩と伊右衛門。

不良教師の処分に陪審制導入案とは――臨教審

（八月五日・十二日）

●臨教審の第三部会が問題教師退治のための陪審制度をつくると言ひだした。おもしろいぢやあないか。

　新聞は、日教組の反発必至なんて書き立てたが、第三部会長は意気軒昂、あからさまに、教育界諸悪の根源は日教組にあると言ひ放つたわい。これがいいのだ。

　だいたい、臨教審のこれまでの論議はコンニヤクみたいなもんで、これが第一次答申てえしろものだ。どうもパンチがきかんから、みんな、いらいらしてゐた時だけに、陪審制の提唱は軒先の風鈴の音を聞く思ひだつた。

●文部省はとにかくとして、直接に教員の人事を扱ふ県の教育委員会はさぞこそばゆいだらうなあ。どんな悪たれ教師でも、めつたに首は切れない体質、たとへ馘《くび》にしても、退職金は出すといつた甘ちやん行政だ。そこへ、陪審員が乗りこんできて、辛い処分をうちだしたらどうだ。こりやあ、見ものだぞ。

●日教組の第六十一回定期大会が伊勢の津で開かれ、やつぱりストをやるんだと決議した。つい先頃はストをしないと公表したのに、またぞろ前言をひるがへす。こんな連中をまづ血祭りにあげてよ、陪審さま。

一寸先は闇——日航機墜落

（九月二日）

●いやはや、あきれ申してござる。

夏には強いと自慢の老生、生まれてはじめての夏バテ発熱、咳込み。喰ひ気も色気もあらばこそ、ただ呆然と座するのみ。

●座して日航機五百二十人の惨劇を思ふ。チビ三人をひきゐて里帰りしてゐた長女、福岡の任地へ戻るのに、この日航一二三便で大阪乗り継ぎの方法を考へ、あはやそれに決めるところであつたが、一日延ばしたので命拾ひをした。

一寸先は闇といふ。機械化時代はまさにこれ。吉凶禍福も機械のご機嫌次第とは相成つた。

●昔、新宿の武蔵野館で、クラーク・ゲーブルが熱演するテスト・パイロットなる映画を観た。連れはベテランパイロット。ゲーブルの操縦する双発プロペラ新鋭機が二万フィートの上空でフラット・スピンにおちいり、墜落する。地上に激突するまでの機内の精神現象を描くことおよそ三十分。見終つてから、飛行士にきくと、二万フィートなら一分半か二分で墜ちるといふ。

心理的時間は物理的時間の十五倍だ。それなら、一二三便のダッチ・ロール三十分も乗員乗客の心理的時間に換算すれば七時間半の苦闘となる。実に凄惨といふほかはない。冥福を祈る。

ユニバーシアードに見る数々の不作法

（九月九日）

●母と別れて独り居残つた六歳孫を羽田に見送る。チビッコＶＩＰとやらで両親の待つ福岡までの一人旅だ。

祖父「お前の名は航《わたる》、飛行には向いてをる」

航「なんだか、おなかが痛い」

祖「強度の緊張からくるストレス現象ぢや」

航「キンチヤウつて、金鳥のことなの」

祖「蚊の鳴くやうな声を出すな。キンチヤウとは、武者ぶるひのことぢや」

●帰宅して、ユニバーシアードを見る。金ピカ日本の腑抜けぶりに憤懣やるかたなし。柔道の試《し》合《あひ》場に皇太子殿下御夫妻の台臨があつたが、定めの席にお座倚子をうしろへ引いてお迎へ申す侍者一人も無し。一瞬ためらはれた両殿下、ご自身で倚子《いす》を引いて坐られた。こんなみつともない不作法を満天下に暴露して恥ぢなきやから、そもいかなる主催者どもなりや。

選手も選手だ。重量級で北朝鮮の剛の者にあつけなく負けた日本、勝つた方が握手の手を差し延べてゐるのにこれに応ずるでもなく、ノサノサと退場してしまつた。なんたるざまか。水泳日本の亡滅に次ぐ柔道日本の衰退。

——末世澆季《げうき》ぢや。

またぞろ北京の靖國干渉

●北京がまたぞろ日本の内政干渉をやり始めた。例の靖國神社公式参拝問題でだ。

　このあひだから、日本の訪問団が行くたびに「中曽根首相の靖國公式参拝は中国人民の心を傷つけた」とかなんとか、いちやもん付けてござるわ。それが今度は彭真《ほうしん》といふ権力者の発言なのだから、この際、政府自民党は毅然たる態度で臨むのが独立国の為すべきわざだ。かの南京大虐殺問題の時のやうな、干渉に屈することは許されない。

●新聞〈朝日〉を見ると、訪問団長の長田議員、全人代彭真常務委員長の難癖に対して何と反論〈社会党とは違ふんだ、必ず反論しなければ筋が通らない〉したのか、全然書いてない。こりや、どうしたわけだ。近藤とやらいふ特派員が向う側の言ひ分だけ送つてきて彭真の提灯をもつたのか、それとも送稿後、本社のデスクが削つたのか、これぢやあまるで、訪問団が首うなだれて、ひたすら向うのお説教を聴聞してゐるみたいで、なさけない。

●しかし、それにしても、今回の公式参拝、やれ修祓《しゆばつ》しないの、「かしはで」は打たんのとこねくりまはし、異様、且つ無礼な参拝にしてしまつたのは千歳の遺恨事といふべし。英霊は何と受け止め給うたであらう。古式と憲法が乖離するなら憲法の方を改めるのが正道。よつくこの道理を学ぶべきだ。

（九月二十三日）

豊浜に留魂像建立

（十一月四日）

●このところ、雨に祟られがちな日曜日十月十三日（日）も、空模様を気にしながら、傘をたづさへて東京を早立ちした。岡山から宇野へ。その昔、兵隊の時と同じやうに、高松までは連絡船で、ゆるりゆるりと渡る。西の方に本四連絡第二橋の大吊橋工事を望む。

●翌十四日、曇。二年二ヵ月を要した留魂像建立事業は完了し、晴の除幕式だ。所は香川県三豊郡豊浜町姫の北原、会者およそ四百。陸軍船舶幹部候補生隊は曾て此の地に駐屯した。その在隊者の生残りが協力して、上陸用舟艇の上で指揮を執る候補生の勇姿を建立した。銅像の作者は日展会員木内禮智氏、老生は基壇に「留魂」の篆題を書し、建立記を草して石に刻んだ。

●招魂するところ、散華の英霊二百五十柱、戦後物故の隊友九十柱、その名籍を巻子《かんす》二巻にして基壇内室に納め、祭文を奏す。満場寂として水をうつたるが如く、宿願はたした隊友の眼は涙にかすむ。

今回の事業で、みんな、一所懸命に力を出し、奉仕した。利害損得はどこかへけしとんでゐた。美しいこと限りない。

留魂像は右手を高くあげて針路を示してゐる。日本よ、真直《まつすぐ》に進めと。

九月は苦月となりにけり

（十月七日）

※タイトル編者

●メキシコシティで大地震――死者三千、罹災者二万との報道あり。

処は遥か太平洋の向側だが、時は関東大震災と同じ九月、座右に置いてある地球儀をクルリと廻し、机上に地図をひろげて見較べながら、ぢつと想念を凝らすことしばし。

―ふうむ。九月は苦月となりにけり。

●日本からは、日赤の医者が救援に出発し、金も三億円がとこ送つたやうだ。しつかり頼むよ。

ところでテレヴィはいちはやく日本人の安否について言及してゐたが、これは、何かあると必ず出る言葉だ。同胞を気遣ふのを悪いたあ言はないが、どうも日本人さへ無事熄災なら、あとは「向岸の火事」みたいな感じがあつて、聞き苦しい。

現地に住む日本人女性のヴァイオリニストがテレヴィでいまいましさうに同じこと言つてたよ。在留邦人は被害激甚の都心部に住んでゐない人が多いから、存外呑気で、パーティー開いたりしてゐる。中には電話を掛けてきて、レッスンはなどと問ひ合せ、それどころぢやないとたしなめると、びつくりしてゐる母親もあるとか。精神改造の要ありだ。

―どうしてかう、雨が降り続くんだろ。

サミットでの大国元首たちの挨拶

（十二月九日）

●いやあ、又ぞろ一般各紙がスポーツ新聞並みになつたなあ。ジュネーブサミット、レーガン・ゴルバチョフ、がんばれい。

テレヴィで、共同式典の情景を見物する。ゴルバチョフ書記長は淡々とした地味な挨拶で、会場提供国スイスに対する謝辞は最後に一言だけだつた。合理的といいはんか、事務的とやいはん。これも良し。

片やレーガン大統領、にこやかに立ち、まづ、あちら、こちらの顔を立てての謝辞たつぷり。その際、「ナンシー及び私に対する懇ろなおもてなしに対して深甚なる感謝を」と来たね。

亭主「ふうむ、西洋人の表向きレディー・ファースト、うまいもんだ。奥さんの名前を先に出すと、物事が軟らかくなるなあ」

女房—腹の中で「フン、しらじらしい」

●ミッテラン仏大統領いはく。—「うちは、なにも、米蘇の支店ぢやないぞ。わが道を行くのみ」

老書生「さうだ。同感々々。その自尊心がいいな。どうだらう。ひとつミッテランの爪の垢を練つて丸薬にして、越中富山の反魂丹ならぬ花の巴里の反骨丹と銘打つて、わが国会に配給しないか、外務省あたりにも配るべきだな」

会議は踊る——昔なつかしい映画の皮肉

（十二月十六日）

●昔懐しいドイツ映画、「会議は踊る」を見る。全く他愛のないミユジカル・コメデイだが、何度見ても楽しさは失せない。楽しさだけでなく、或る種の諷刺、国際政治への批判を匂はせた一作でもあるところに、倦《あ》きのこない理由があるのかもしれんて。

　悪役のメツテルニツヒ外相にはコンラード・ファイト、無邪気な街の娘にはリリアン・ハーヴエー、さてそのお相手の二枚目、ロシアのツアー、アレキサンダー役は何といふ俳優であつたか、歌のうまい酒場のおやぢは…まあ、こんなこたあ、どうでもいいや。

●ウインナ会議はナポレオンがエルバ島に流された後、一八一四年の九月から翌年六月にかけて続けられた。九箇月もかかつて、その間、連日連夜の宴会、舞踏会各国の代表が酒疲れ踊り疲れで白痴化してゐるあひだに、強国間の報償取引が決まつてしまつた。ロシアはワルソー大候国（ポーランド）を支配し、フィンランド、ベツサラビアを征服した。プロイセンはザクセンの五分の二、アルザス・ロートリンゲン、そしてポーゼン（東ポーランド）を割取、オーストリアはヴエネチアとイリリアを分取つた。おつそろしいねえ、※コングレス・タンツト。〈踊る日本、大丈夫かなあ〉

※ Der Kongreß tanzt（会議は踊る（独））

昭和六十一年

エスノとはいかなる芸術なりや

（一月二十七日）

●書院の東窓に植ゑてある楠の青葉が寒さに負けたか、萎れて、うなだれ、元気が無い。生籬の乙女椿や、あかめもちの葉はピンシャンしてござるのになあ。

かく申す此の家の主人も寒いのは苦手だ。手足にひび割れができてカサカサだ。油ッ気が少いんだ。冬よ、はよ去れ、春よ来い。

●成人の日、成人式。なんとそらぞらしい年中行事であることか。昔のやうに、十五歳元服が良いと思ふ。これは数へ年だが、今なら満の十五で中学校卒業だから丁度打つて付けぢあないか。中学の卒業式を以て元服式となし、以後はどしどし一人前として責任を問ふ、これが良い。見なよ、彼等のづうたいの大きさを。公民権なんぞとは関係無しに、体格と人格の次元できめりあいいんだ。

●ぼんやりとテレヴィをながめる。エスノとかいふ「芸術」があるんだと。画面にＥＴＨＮＯと出る。聞けば、民族の根元を表現することなんださうな。

ＥＴＨはＥＴＨＯＳ（風格）の略か。ＮはＮＡＴＩＯＮ（国民）の略か、ＯはＯＲＩＧＩＮ（根源）だらう。どんなことするんだらうな。略語ばやりには閉口だ。エコノミーは餌好、エリートは襟糸、こつちの方がおもしれえや。

ソ連の咽喉に鮭の骨を

（二月三日）

●日ソ外相会議に関する報道を追ひ、共同宣言の文言をつぶさに読む。右によれば、北方領土を討議する余地なんぞ全く無いこと明瞭である。あれはただ、互に言ひつぱなしにするだけのもの、安倍晋太郎が日本のエレジーをうたひ、シェワルナゼがロシアの軍歌を怒鳴る、これだけのものだ。

ぢやあ、言合ふのをやめちまへばいいか。さうはいかん。とにかく、ソ連の咽喉に鮭の骨がひつかかつて、いつまでもチクンーチクンと痛むやうにしておくべきだ。いまのところ、このぐらゐがギリギリ。孫子の代まで鮭の骨を抜いちやあいかん。——本当はカニの鋏を突込むといいんだが。

●シェワルナゼ外相は離日して北朝鮮は平壌へと寄道をした。なにを談合しとるんかな。まあ、今度の東京会談について一応の説明をし、ソ連の対日政略に同調するやう指示するぐらゐなところかなあ。

折からＮＨＫは特別番組「北朝鮮歴史紀行」を放映した。北京から平壌への汽車の旅。白頭山、金剛山、平壌の街路、開城の門、どこもかしこも行つてみたいところばかりだが、それも不自由この上ない。日本人にとつては政治的秘境になつてしまつたからなあ。それはとにかく、ＮＨＫは小知恵がまはるよ。

コーヒー・週刊誌・タバコ一斉値上

（二月十日）

●コーヒーが一杯二十円から五十円幅の値上になると、テレヴィのニュースで大報道。うら悲しい思ひをしてゐる連中も多いだらうなあ。

　サラリー氏「をかしいぢやないか、前の値段で買つた豆の在庫は有るんだらうに」

　老骨「あきらめな。東洋人でこんなにコーヒー飲むのは日本人だけだといふではないか、ありや、豆の灰汁《あく》に過ぎんのだが」

●週刊誌一割値上。こつちの方はニュースにならないなあ。静かに、静かに、値上前に時々、特別号とかなんとかいつて一割高の号を出しておき、大衆が慣れた頃合を見計らつて、するりと普通号まで値上げしちまつて、そ知らぬ顔だ。やりかたが狡猾だよ。

　サラリー氏「よし、プラットホームの屑物入のをロハで貰ふとしよう」

　老骨「卑しい真似をするな。月刊誌同様、月一回ぐらゐ買へば十分。連載小説さへ読まなきやあ、あとはみんな読切物だけだから、毎週買ふには及ばん」

●タバコ値上必至の情報。これにや、老骨もこたへるなあ。十戔の長煙管に刻みの「あやめ」が懐しい。だが、〝きせる〟となると火鉢が要るし……

　政府「円高で海外旅行は安くなつたし、公定歩合引下げ、郵貯の利息も安くなるよ」

八万円のランドセル、七千円の筆箱とは

（三月三日）

●孫の小学校入学第三号。ぢぢさまは自分で決めた内規により、同じくランドセルを贈る。いささかの差別なし。値段も同じにするのが原則、物価の変動なんぞ一切無関係なんであるが、今度は男児だから、女児のものより縫成頑丈の品を選んだため、一六％ほど高値に付いた。

●これを買はんが為に、日本橋の百貨店へ赴き、学童用品の売場へ行つて目を剝いたよ。前の孫二人の時は金だけ送つて済ませたから知らなんだ。今度は現物を送つてほしいとぬかすから見に行つたら、驚くべし八万円のランドセル、七千円の筆箱、その他もろもろ、想像を絶する高価、美麗、しかも、あらゆる利便のからくりが整つてござる。

あゝ、これなん自動白痴栽培器、愚母は高いのに飛付いては手前の子を馬鹿にするために金をはたくんだ。怒髪逆立つて天を衝き、嘔吐の悪気胸を突く。

●頑老「このごろは、知識を頭へ入れずに、ランドセルへ詰め込むんだなあ。頭へ入れた時代にやあ、本の袋なんざあ、何でもよかつた。鉛筆削るにや肥後守（十銭と五銭）、何でもおさがりが廻つてきて、新品はほとんど無しだつた。それでも、知識は頭に入つたつけ。」

オロフ・パルメ首相街路に死す

（三月十七日）

●福祉国家の標本ともとられてゐるスウェーデンのオロフ・パルメ首相が殺された。行年五十八歳。まだ若いのになあ。

　この首相、奥さんづれでストックホルムの中心街に遊び、映画を鑑賞した。それがはねてから、家路への街路をテクテク、折しも夜の十一時。護衛の付かない夫婦は秘かに忍び寄つたる兇漢に至近距離から拳銃で……。哀れなり。

●一国の首相が夜中、妻女と手に手をとつて町を歩く、護衛ぬきで。それが平気でできる世の中ならこれ正に王道楽土だが、さうはいかんところが人間の罪業、地上の地獄絵、いかんとも為し難い。聞けば、パルメ政権にはあちらこちらから圧力がかかつて、忠ならんとすれば孝ならずの矛盾にもがいてゐたらしい。平和、親ソの政権は一路、従ソの方向になだれゆくか。さりとはうたてきことぢやなあ。

●さて、日本だよ。この、くらげなすただよへる八方美人国、あちらを立てればこちらが立たぬはスウェーデン同様なんである。近年は政治家暗殺事件も無く、優雅にゴルフなど楽しんでござるが、治にゐて乱を忘れざるは君子の心得、ゆめゆめ、ご油断、めさるなよ。—護衛を増やせと言つとるんぢやない、精神の問題で忠告をしとるんだ。

鵺とは何か——平家物語

（三月三十一日）

●平家物語に鵺《ぬえ》といふ有名な一節がある。

「あの野郎、ぬえみてえな奴だ」

なんて、他人を罵倒する時によく使ふ鳥だが、そりや何だ、と聞かれると、答へられんご仁が多いね。此の際、説明しておかう。

かの源三位頼政、いまだ兵庫頭にてありける頃、一夜宮中に召されて射落したる妖怪変化《へんげ》、頭は猿、胴は狸、尾は蛇、手足は虎てえ厄介至極な複合化け物。その鳴声が鵺《こう》に似てゐた。コウが夜な夜な鳴く声は赤ん坊の夜泣の如く、「おう、おう」と人を悩まし、果ては精神異常に陥らせるのだ。

●この〝ぬえ〟―世の中を見渡すと、ゐるはゐるは、うようよしてござる。狡猾（猿）で、腹がポンと出てゐて（狸）、腕力がある（虎）、そのくせ、まづいと見るやシッポをくるくる巻いて知らん顔（蛇）だ。

真夜中、黒雲とともに空を覆ひ、「おう、おう」と鳴く手合もゴマンとゐるぞ。源三位あらはれよ。大鏑《かぶら》の矢一筋、夜暗の空にひようと放つて怪物を射殺してくれ。

●わが家の紅梅、今年はどうも色が冴えない。なんとなく薄汚れてゐるのはどうしたわけであらう。〝ぬえ〟のせゐかな。

茗荷谷、うつちやりで虎ノ門に負け——教科書裁判

（四月七日）

●三月十九日、家永・教科書裁判の千秋楽。東京高裁の土俵上、行司役鈴木判事は軍配をサッと虎ノ門（文部省）にあげた。うつちやりをくつた※茗荷谷（家永三郎）は土俵の外へ転げ落ち、二十一年にわたる角力の幕となる。思へば長い勝負であつた。

●三月二十三日、明日の旅立を前にして朝からの大降雪。コンコン、シンシン、いやあ、降るは降るは、綿帽子をかぶつた紅梅の風情を愛でて一献、それどころぢやあない。

　当家独特の滑る屋根瓦が恨めしや、間断なくドシン、ヅシン、ボタン、落石ならぬ落雪の物凄さ。庭中の積雪は正に北陸並みだよ。東京を中心に交通機関は麻痺状態、大停電。西武線では準急に急行が追突して二百余人が重軽傷。あと一週間で四月だてえのに、こりやまた、なんてふこつたい。

●学友から、蕗《ふき》のたうを貰つた。ほろにがいこれの風味はまた格別。老生、食べ物だけは修行を積み上げた禅坊主なみで、野の幸、山の幸をすこぶる好む。肉や魚を食べないとからだがもたん、食べなさい、よくさう言はれるが、欲しくないねえ。わるいけど。

　—雪は少しをさまつたが、風が吹いてゐる。どうれ、旅の支度でも始めるか。

※家永氏が訴訟を起した時の職場、東京教育大学の所在地

桜見物に田河水泡の講演が御馳走

（四月二十一日）

●今年の桜は咲きがおそい。三分てえところだが、まあ、いいや、孫（小一）の航《わたる》を引具いたして花見ときたね。

トゲトゲしい事ばかり続く浮世を離れ、世田谷の桜新町へ行つた。ここから深沢までの道は桜の街路樹が両側に並んでるよ。それも、古木だ。静かな屋敷町、花の色、つぼみの色、すべてが若々しい。

この道を、そろりそろりとひろひ歩くのだ。航にやあ、その醍醐味、まだわからんだらうなあ、走つとるわい。

爺「おおい、走るな、騒々しい」

●桜新町には長谷川美術館がある。「さざえさん」の町子さんが開いた館で、なかなか楽しいね。折しも田河水泡老が二階へ現れ、のらくろ顚末記てな内容の漫談をひとくさり。うまいところへでくはせたもんだ。

水泡は江戸深川の産とか。落語を書いて売つたぐらゐだから、下町歯切れの自叙伝漫語、水泡どころか酔芳よ。

●階下には大家の絵が壁間に並ぶ。林武の婦人像が出てゐた。どえらく首の長い女、顔はたしかに奥さんだ。剣豪千葉周作の子孫と自負するあの強い面差し、訪問してブランデーを飲みすぎて、おこられたつけなあ。

—静かな春うららの日曜でした。

天皇陛下御在位六十年祝典での箱根八里の歌は良し（五月十二日）

●四月二十九日、天長節。この日午前、天皇陛下には龍顔いとも爽かに一般参賀を受けさせ給ひ、午後には国技館に臨幸、政府主催の御在位六十年奉祝の典に臨ませ給ふ。懸念せられた不祥事も起らず、まづはめでたし、めでたし。

●近頃は役人が滅法界無責任になりさがつちまつて、何か起つても、潔く職場を辞して謹慎する、なんてえますらをは何処を探したつて見当らん。出処進退の厳正、挺身難に赴く気概、いまや地を払ふ。

　平和とは、寝腐れのことぢやあないよ。

●式典の会場、静寂の中に懐かしい唱歌のコーラスがあつたのは良かつた。みんなわたしの愛唱もの、わけても箱根八里は最良だつた。

　昔、中学校長連をつれて欧州に遊んだ時、これを団歌とし、各地で合唱して好評を博したことを想起する。

〽大刀腰に　足駄がけ
八里の磐根　踏み鳴らす
かくこそありしか
往時のもののふ

役人の必修にするといいんだが。

—折も折、ウクライナのキエフ北方百三十キロ、チエルノビリ原発で炉心溶融、火熱四千度に達して火災となる。事故はロシアで起つちまつた。——

テロの卵は中学新卒から

（五月十九日）

●ソ連原発爆発、死の灰騒ぎで世界中が青くなつてゐる最中の東京サミット、三万の警官大動員で水も洩らさぬ警戒中、スリランカのコロンボでは旅客機が真二つ。こりやまだ遠いと思つてゐるときに、新宿方面から赤坂離宮（迎賓館）めがけて中核派が迫撃弾発射。ドツカン、プッスン。いやはや、蜂の巣をたたくたあ、このこんだ。日本人の若夫婦二組被害—気の毒。

●テロの卵は中学新卒から。

　神奈川県海老名市立有馬中学の社会科教師、その名は瀬川均、当年三十歳。去んぬる三月弥生の初め学窓を巣立つ教へ子に、「あわてないで!、反弾圧座右之書」と銘打つたるパンフレツトを「中卒記念」として配りよつた。

　中味は言はずと知れたゲバ戦術、黙秘のすすめ。過激派掩護《えんご》団体の「救護対策連絡センター」が作つた手引を参考にして編集したもんださうだ。あな、いまはしやの。

●教師のゲバは百年以上も昔からある。明治十六年、神戸の相生小学校では十八歳の教師が生徒の持つてゐた御真影をひつたくり、罵詈雑言しながら破り捨てて不敬事件になつた。幼稚な騒ぎだが、なにか、人間に巣喰ふ狂暴の虫を見るやうだ。中核の先祖だらう。平和の掛声がうるさいと、反つてテロが育つんだ。

新しい高校日本史教科書の編集方針

●新しい高校用日本史教科書が新聞種になつてござる。

編集方針の一部を見よう。

(一)、天皇に対しては丁寧な言葉を用ゐ、また、天皇に関し歴史上欠かせないことについては、ことさら避けることなく記述した。

(二)、対外関係については、国家として自主独立の精神が大切であることを理解させるやう、記述に配慮した。

(三)、古代史においては、遺物・遺跡や外国の史書のみならず、『古事記』、『日本書紀』などの日本の史書を尊重し、例へば神話などを通して、古代人の思想を明かにした。

(四)、近・現代史においては、とくに諸外国との外交問題に配慮し、戦争に関しては、できるだけ客観的に記述することに努めた。

大賛成。これ、当り前のことなんだが、かういふのが新聞で「復古調」だなんて騒がれるんだから、世の中、左に巻き過ぎてるな。

●文部省の検定審議も、もたもた、めそめそ、いつまで経つても最終の合否判定を下しきらん。どうなつてるんだ。検定史上、前代未聞のだらしなさだ。要するに、世間や外国が怖いんだろ、冗談ぢやない、教科書は日本の生徒に読ませるもんだ。世間や外国にへつらふ本ぢやないぞよ。

(六月九日)

新教科書に対する内外の政治攻勢

（六月十六日）

●朝日が五月三十日の社説に、「なぜ今こんな教科書を」作るのだ、怪しからんと、最近、検定に合格した高校日本史の本（原稿）を槍玉に挙げてゐる。

　読んでみると、「日本の教育がぶつかって苦しんでいる問題の本質を見る視野もなく、十年一日の政治攻勢を学校現場にかける人びとの姿勢にはとうてい共感することができない」だとさ。

　これ、日教組への批判かと思つたら、どうして、どうして、問題の新教科書の作者に向けて発した鏑矢だつた。この教科書を作つた人びとは、左翼の政治攻勢に悩みぬいて、純教育的な立場から筆を執つたのだと、わしや諒解してをる。それを無理矢理、日教組並みの政治攻勢に仕上げちまふたあ、恐れ入つた論説員。おそらく、性悪説の信者なんだらう。

●同じ五月三十日には韓国でもなにか、がやがや、この教科書をターゲットにした新聞論説が見られたとか。そりや、早とちりでござんす。まだ供給本の現物を見てゐるわけでなし、中に何が書いてあるのかも知らんはずなのに、日本の新聞の見出し「復古調」だの「改憲派教科書」だのを見てすぐピリリと痙攣を起す。敬愛やまざる韓国のために採らざるところと為す。

人の行く先、どこだつていいぢやねえか

※タイトル編者　（日付なし）

●梅雨——

書斎の東窓に楠、南窓に白木蓮、どちらも青葉繁つてさながら森の中に居るやうだ。

　壁間に一幅、酔人の糢糊たる姿、いつながめても心が安まるなあ。ここんとこ、やたらに新聞記者さんたちの来訪あり、電話ありで、少々疲れる。問も同じなら答も同じ、つまらない繰返しよ。

　それにしても此の老酒徒、禿げた頭を右に傾けてフラリ、フラリと歩くありさま、こりや確かに大物だ。あやからう。

●釜八—いきつけの小料理屋の縁座敷。記者は鮪《まぐろ》の刺身と焼鳥、老酒徒は玉子焼に〝このわた〟

記者「これから、社へ帰つて原稿書かなくつちやあ、あゝ、もう酔つてきました」

老酒「慌てなさんな、いい若い衆《し》がなんだ。ま、一盃いかう」

ポンポン、Vサイン。徳利二本お追加の合図だよ。記者「来週、また会つて下さい」

老酒「さうはいかんな。旅行中だ」

記者「何処へです」

老酒「なに、ハンガリーさ」

記者「えッ」

—人の行く先、どこだつていいぢやねえか、といふ意味で。ヘイ。

隊友と潮来に遊ぶ

※タイトル編者

（七月七日）

●隊友に誘はれて潮来に遊ぶ。同行四人。まづは香取神宮に詣で、参道のとある茶店で草だんごを食ふ。

次は伊能忠敬先生旧宅、久しぶりだ。まさに五十年ぶりなんだよなあ。

昼食は名代そば、そばかきも久しぶりだ。店の建物がいい。県指定文化財の土蔵造。

かくて後、隊友自慢のモーターボートに乗り移り、全速五千回転で霞ヶ浦の南辺から北浦の方まで疾走、搭乗者全員が元船舶将校だから交互にレバーを握る。壮なり快なり、日頃のもやもやけしとんで――曇りの空に青空までみえてきた。

●翌朝、水生植物園で〝あやめ〟を楽しむ。さすが水郷とあつて田舟を浮べての回遊も人気あり、さて、鹿島神宮へ。かなめ石とみたらし池。その水を飲む。生水《なまみづ》を飲むことのできる日本はいいね。そばの茶店で味噌田楽を食ふ。

隊友のなさけで、みやげは鰻の白焼に手焼の煎餅、水戸納豆、大きな袋にぎつしりだ。これに加へて佐原名産すずめ焼、これが大好物、昼食もうなぎ。

あゝ、腹の中が鯉と、どぜうと、鰻と、しじみでぎゆう詰になつちまつた。これでまたたたかへるぞ。――老小学生。

俺は左翼、右翼のどちらでもない、無欲だ

（七月十四日）

●八百屋の武ちゃん、元気がいい。共産党の候補者が宣伝車で通ると、「いよう、しつかり」とやる。次には社会党に「いよう、しつかり」……自民党にも「いよう、しつかり」

買物の奥さん「武ちゃん、あんた、どつちの味方なのよ」

武ちゃん「いいんだよ、投票とは別なんだから」

●信州は別所温泉の旅館主も元気がいい。この宿へは文人墨客、思想運動家、俳優のたぐひがひきりなしに泊まりに来る。高倉テル、山本宣治、野坂参三、西條八十に森繁久弥、池内淳子に舟橋聖一といつたあんばい。

館主「私はよく聞かれます。いつたい、お前さんは革新党なのか、保守党なのか、つてね。私は二刀流ですよ」

老客「私もね、お前は左翼か右翼かつて、学生時代に聞かれたことがあるよ。すぐ答へたね。俺は無欲だつて」

●いづれにしてもだ。商売人には存外、骨がある。愛想はいいが、おのれは曲げないといふところがある。これに反しておそまつさまは日本外交、八方美人は商売と同じだが、骨の髄まで拝外拝外とはなさけなや。

経済大国、外交小国、おお、金腐れ、豚太りの日本よ、誇りを失ひし日本よ、世界は日本を軽蔑してゐる。―最近のある情況に感ありて。

中米からの贈り物――犬に脛を嚙られてゐる老爺像

（七月二十八日）

●中米から、はるばる贈物が届いた。包を開いたら、木彫の老人像が忽然と現れた。

「ふうむ」

机の上に安置して、つらつら眺めたる老書生、憮然としていはく、

「俺の今の境遇に似てゐるわい」

これなる木彫老爺のいでたちは、鍔広《つばひろ》めくりあげのハットをいただき、肩には振分けの頭陀《づだ》袋《ぶくろ》―重たさうだぜ―おまけに左手に大きな風呂敷包の結び目をにぎりしめ、右腕にはいぶかしや大盃をかかへてござる。

しわくちやな股引に踝足でトボトボ歩く姿の哀れさよ。その右脚の臑《すね》に野犬が咬みついてゐるたあ、またなんと、ひでえ有様だ。

●この老人、疲れ果ててか顔を伏せ、眼はしよぼしよぼと悲しげなり、ひげはぼさりと下に垂れ、見るも無残なしをれかた。あゝあ、気の毒よの、右腕にかかへてる大盃にどぶろくの一升もダブダブ注いで飲ましてやりな。

●それにしても憎くたらしいは野良犬め、こんな老爺に咬みつくたあ、卑怯なやつ。棍棒で一発、どやしつけてやんべいか。

―因みに、この像、さる外交官からのプレゼントである。どうもいけないよ、このごろの外交官なんてえものは。帰国したらお灸をすゑてやらにやあな。

神変日本史と立川文庫

※タイトル編者

（八月十一日）

●新編日本史原稿の〝海賊版〟出廻る――
熊「ふてえ野郎どもだ。どこの、どいつだ」
八「きまつてらあな。例の〝主義者〟つてやつらだ」
熊「海賊と言ふがよ、とんでもねえ。海賊なら堂々と攻め寄せてくらあな。ありや、コソドロ出版つてんだよ。海賊が聞いたら真赤になつて怒るぜ」
【ブルジョア道徳など気にするな、どんどん破れと、レーニンの教科書には書いてあるさうだ。コソドロなどは屁のカッパ。】

●新編日本史、その名は天下に轟き、温泉芸者の間でも大評判。まさに神変日本史。
芸者「お客さま、新免武蔵つて俠客が出たさうですね」
酔客「アッハッハ。新免ぢやない、新編だ。俠客ぢやない、教科書だ」
芸者「あらさう、著者の中には朝比奈三郎兵衛もゐるつてんぢやないの」
旅客「違ふ、朝比奈正幸先生だ」
芸者「わかつた、真田昌幸ね、その先生」
老客「お前さん、学がお有りだね」
芸者「あたしね、社会科歴史つまんないからキャンセルして、※立川文庫でみつちり勉強したつてわけよ」
老客「ならば、新編日本史を読め」

※立川文明堂発行の少年向講談本。

秋海棠と福田半香の山水

（八月十八日）

●温帯低気圧の豪雨（八月四日）が去つた翌早朝、陽光はキラキラと青葉を照らし、素肌をかすめる大気は時にひんやりとして、秋の忍び寄る心地あり。

　こよみの立秋はもう目の前だ。白い八重の花《はな》梔子《くちなし》が目にしみる。

　女房どん「くちなしは利尿剤になるんですつて」

　老亭「ただでさへ小便が近いんだ。要らないね、そんなの」

　女房「梔子より、秋海棠《しうかいだう》をご覧なさいな。あれは初秋の花ですよ」

　老亭「どれ、どれ」

と、花梔子の前に咲いてござる秋海棠の、淡紅の花をつまみあげる。マニキュアした女爪のやうな、子供の舌べろのやうな細長い花。

●福田半香は渡辺崋山の愛弟子である。その山水一幅を研究室へ運んで掛けた。天保十年の作。崋山は三河に幽囚の身、師を思ふ半香の胸中を偲ぶよすがになる。

　ところがどうだ。来る客、去る人、誰一人として見向きもしないんだよなあ。

　人の家に客となる、まづ、掛軸を見るのが礼儀だ。これも、客人もてなしの一つなんだよ。ちつたあ、風流心にめざめな。——忙がしがるばかりが能ぢあ、あんめい。

ペット同居マンション「ワン」ＬＤＫ

（九月一日〜八日）

●杉並の天沼にペット同居マンションてなものが建つといふことで、地元住民の大反対、裁判沙汰とは相成つた。

　このマンション・ワンＬＤＫが主ださうだから家畜が住むニヤー適してござらう。おそらく独身女子寮に違ひない。これらワンとニヤーは身長七五センチ、体重は一〇キロ以下（胸囲は不明）で一室三疋以内、メス、オスの差別はしないらしい。因みに、小鳥や金魚は無制限。だとすれば、エテ公や青大将はどうなんかな。公害の予測が生まれる余地はありさうだ。

●ペット公害といへば、わが〝つりがね池〟公園もこれに悩まされてゐる。主人に捨てられた家鴨夫婦、仲はいいが無闇と羽を飛び散らかし、白緑色のジユルベンはたらし放題だ。

　そこへもつてきて、三十がらみの奥さん族、毎朝ワンを散歩に連れて来てはフンをさせる。ポチの便所はこの木の下、ジョンのはあの草の中。小さいシャベルでフンを埋めて帰つちまふんだよ。池辺はさながらペットの雪隠《せっちん》。こりやたまらん、ペット唾を吐きたくなるあ。人口過密地帯の哀切なる物語です。

革新勢力は古足袋同然

（九月十五日）

●日教組が次期委員長選などをめぐつて大もめの様子だ。分裂か妥協か、叱咤、怒号、詰寄り、引分け、目も当てられん。集まつてゐる人間の面はピクピク引攣《ひきつ》り、眼は血走つて仇敵に対するが如し。てもとげとげしい連中ぢやなあ。

　あれでも彼等は互ひに「仲間」と呼び合つてゐる。あな不思議やな、ねえ、トワリシチ（共産同志）――

●この騒ぎは分析に値すると思ふし、ある種の潮流の白波頭とも観ることができよう。社会党の没落、共産党の低迷、国鉄労組の溶解、電信、煙草は民間企業に身をかはして儲け笑ひときちまつちやあ、さしもの官公労もガタガタだ。

　日教組とて桐一葉、落ちて天下の秋を知るだ。ここぞと狙ふは自民党、文教族。教組の幹部を手懐づけて、文部大臣は会ふは、「はげます会」には呼ぶはの大盤振舞、こりや、問題になるわな。

●世のいはゆる革新勢力なるもの、今やすでに古足袋の如しで、世の進運から遙か後へと距たるに至つた。げにげに、「歴史の車を後へ曳く」とは彼等の事、もう、いい加減に目を覚しちやあどうだい。子供が笑ふぜ。

わが発言と心中——藤尾文相

（九月二十二日）

●※藤尾文部大臣、自ら首相にクビ要求。やつたりな。男一匹。

テレビは「稀な例です」、「異例のことです」を連発、そんなことより、もつと流す言葉は無いもんかね。

記者「あるよ。経済閣僚になりたかつたのに文部へ回された腹癒せだと思ふなあ」

江戸ッ子「仕様がねえなあ、てめえら。人間、なんでも欲得づくで動くつてわけぢやあねえ、誇りつてもんがあるんだ。自分の発言と心中、いいぢやあねえか、下種《げす》の勘繰りすんなつてこと」

●韓国側は矛ををさめたやうだ。そりやさうだらう、向うの言ふ通りにすりや振り上げこぶしの下しやうが無いわさ。

しかし、これでは韓国も自分を見詰める機会を自ら失ふやうなもの、隣国人の発言がぐつと癪に障つたらまづ怒気を鎮魂し、ともかくもその言分を静かに検討してみる余裕を持たなくちやあ。お互ひに批判し合へる隣交の妙味を双方とも勉強しようや。おとなにならう。文明国にならうよ。

日韓交流史の客観的研究、実証的、おとな的判断が必要だ。攻めたり守つたりばかりぢやあ戦争と同じだ。敢へて提案すること、依つて件の如し。

※藤尾正行氏が文藝春秋への寄稿の中で日本の韓国併合については朝鮮側にも責任があると述べたことに韓国が大反発した事件

傘泥坊はまだ居る

（九月二十九日）

●傘泥坊の記——経済成長でみんな懐具合が良くなつちよるといふのに、まだ傘泥が出没するたあ、驚きだ。

老生の傘は一昨年に銀座の小料理屋の内でやられ、こたびは平河町の麴町会館玄関口でドロン。

警視庁は山と積まれた遺失傘に悩まされてをる。然るにまだ盗む奴が居るんだよ。なぜか。

老生の洋傘は特に大きく、値段も八千円。これでなけりやあ、雨は防げん。なほ、ステッキの代りになるやうに、柄も骨も太くがつしりした剛気な品だ。だから、傘立に寸法が合はず、鍵も掛けられぬ。よつて、楽々と消えちまふつてわけだ。

●盗癖は生活難とは関係が無い。麴町会館と言やあ、大体は公務員などサラリーマン男女の出没する比較的善良種族の溜り場なんだが、「癖」つて奴はどうしやうもないもんで、本能的にニユッと手が出ちまふんだよなあ。一見、虫も殺さねえやうな小心者が公金に手を着けたばつかりに身を滅ぼし、純真無垢の代表たる小学児童が万引き平気といふ世の中、それどころか、学者が他人の重宝を横取りしたりする。これなん、人間に巣をくふ盗癖の為せるわざなりけり。あな、恐ろしや、あな、うたてし。

—独語「また八千円か」

名古屋にて——一部分人首先富起集

●国際感覚を養ふため国際ホテルに泊る。白と萌黄の明るい内装の広い部屋、大きな窓の向うにはワシントン・ホテルが見える。これですつかり国際人になつた。

●ゆつたりと椅子に座して地方紙を見る。旅には土地の新聞が楽しい。一面左肩の視点欄に載つてゐる編集局長稿「物質文明と精神文明」なる随想を読む。これは大陸印象記である。

　それによれば、中華人民共和国では数年前から五講四美が叫ばれてゐるといふ。五講は文明・礼貌・衛生・秩序・道徳のすすめ、四美は心・言葉・行為・環境の浄化であり、中でも文明はその総括概念として重視され、文明飯店、文明工場、文明列車などなど、至る所に文明が氾濫してゐるさうだ。これ恰かもわが日本の文化や平和と同じ。さすがは範疇主義の漢民族、五講四美とは呪縛的だね、しびれる。

●「一部分人首先富起集」といふ呪文も面白い。意味は「豊かになれる人はどうぞお先に」なんだとか。驚いたねえ、共産国にこの言葉ありとは。しかし、危ないよ、こりやあ、その幸せになる一部人が首先して富を得た途端に、「富はやるから首を出せ」てなことになるんぢやないかな。

　陰の声―国際感覚養成も楽ぢやないぞ―

（十月二十日）

桐一葉落ちて天下の秋を知る

（十月二十七日）

●チロリン・チリリ、鈴虫が鳴く。
亭主「今年はしきりに鳴くねえ」
妻女「草が多いと、住み心地がいいからでせうね」
亭主「桐一葉落ちて天下の秋を知る、か。アジア大会も終つたなあ」
―各国選手のソウル競技場へ向ふ心意気を聞いてみると、中華人民共和国の若者は「国際親善のため」、これは紋切型、日本選手は「自己開発のため」、これはしやれた言ひまはし、地元韓国選手団は一斉に「民族精神高揚のため」ときたね。結果は経済成長に逆比例。―
桐一葉落ちて……

●エルサルバドルで大地震、死傷おびただし。片や太平洋のこちら側、国鉄労組が大揺れ、日教組のガタピシに次いでの族内闘争に地割れ。日教組とは違つて、国労は失業が眼の前にぶらさがつての内争だけに深刻だ。どうだい、デモシカ先生、ちつたあ同情しちやあ、やらねえか。そつちも桐一葉かい。

●アイスランドの米蘇両巨頭、※四つに組んで動きがとれず、再戦を期して袂を別つ。上杉・武田の川中島、鶴翼・魚鱗、龍攘虎搏、こつちの方が見応へ、いや、聞き応へがあるといふ次第。どつちもまだ桐の葉つぱなんか眼もくれないやうだ。

※十月十一日。レーガンとゴルバチョフがアイスランドのレイキャビックで会談

外国製品に欠点あり

（十一月十日）

●小庭の満天星《どうたん》が紅葉し始めた。まだ、五分というところだが、東へ向いた枝の葉の一群は紅赤になつてゐる。天に向いた群は色付き始めたところで、色は緋。一夜明ければグンと赤味を増して、間もなく全葉ことごとくお色直しだ。その紅葉の渋さ喩へんに物無し。これなん我が家の自慢樹と言ひつべきか。

　さて、翻つて鏡に向ひ、己が頭髪を眺めるに、陽の当る正面はすでに白銀だが、日影の後頭部は胡麻塩、その下端部は黒である。さまにならんなあ。人生は紅葉ならぬ白葉か。やがて地に散る枯葉となつて、風に吹きとばされる運命。

●タイ旅客機の尻の内蓋に穴あり、機内の空気がそこへ殺到、バンと吹き出しあはや墜落というところ。落ちなくてよかつた。

　この飛行機、フランス製ださうだが、アメリカ製日航機と同じ性質の事故だとは、考へさせられるねえ。

●さういへば、老生の腕時計は輸入促進に協力してスイス製を買つたが、バンドの止金がよくない。時にポロリと外れてしまふんだよ。人から貰つた万年筆の最高品、これも駄目だね。インクが軸に染み出してべとべとだ。ヨーロッパ、アメリカ、その誇り高き西欧文明や今いづく。

ヒプセロサウルス（恐竜）の滅亡

（十一月十七日）

●変称「文化の日」、正称「明治節」。朝の天気は晴。それほど寒くない。ただし、今日より冬着に改める。

　女房どん「あなたが寒い寒いつて言ふものだから、更衣《ころもがへ》したんですよ」

　亭主「よろしい、彼のヒプセロサウルス（恐竜）でさへ、気温の低下や同類の繁殖でストレスを起し、母親がホルモンに変調をきたしてカルシウムが減り、ために、生み落した卵の殻が薄い。卵中の子は殻の内壁を食つてカルシウムを摂取しつつ成長すべきだが、かう薄くては十分に食へん。それで、弱虫ばかりになつて遂に絶滅したといふ。寒さといふものがいかに不都合であるかが分つたであらう。」

　女房どん「あなたは虎ですよ、龍ぢやないぢやあ、ありませんか」

●その朝の食卓。魚の干物の開きが一枚出る。

　亭主「カルシウムだ、よろしい」

　女房「昨夜《よべ》、〝面白ゼミナール〟で、塩は一日十グラム以下にしなさいつて言つてましたから、干物はいけないかしらね」

　亭主「俺は低血圧の方だから、塩気の方は気にせんよ」―（と言ひながら、ガラガラ頭まで平らげてしまふ）――ストレスなんてくらへだ。

「ご苦労さま」は陛下に対して用ゐる言葉ではない――中曽根首相へ（十一月二十四日）

●十一月十日、快晴・天皇陛下御在位六十年中央奉祝パレード大催行。

前の日は雨だつた。これはまづいなと、心配してゐたらカラリ。そこで、銀座へ出掛けたね。背に日の丸を染め出した揃の法被《はっぴ》を一着なし、七丁目は「とらや」の前に陣取つて出発式に臨む。何とかいふ綺麗な女優さんが述べ立てる祝辞をうつとり聞いて、今度は日本橋三越本店近くへ大急行、此処で夕暮まで見物、それから今度は日本橋のたもとへ。其処にしつらへてある桟敷《さじき》台で提灯行列壮行の会。中曽根首相が飛んで来た。

「只今、アキノ大統領との会見を終へて参りました」

とか、言つてたつけ。そりやいいが、

「天皇陛下、ご苦労さまでした」

はいけないよ。「ご苦労」なんてのは大体、上から下へ言ふねぎらひの言葉、大名が家来に、「大儀であつた」なんて言ふのと同じなんだ。国語を勉強せにやあかん。

●皇居前。提灯の光の珠数、一万、二万、三万、やがて、二重橋上、ピカッと光るは天皇陛下出御の信号。たちまち起る万歳のどよめき。

万歳、天皇陛下万歳、万歳、万歳……

北朝鮮は分らんことだらけ

（十二月一日）

●モンゴルのバトムンフ人民革命党書記長が平壌空港に到着、銃撃戦で死亡かと伝へられてゐた金日成主席がこれを出迎へる。赤絨毯を敷いた歓迎路をゆつくり飛行機の方に向いて歩く大兵肥満のキム・イルソン。

　テレヴィの日本語字幕は、「ただいま、偉大なる指導者、キム主席が到着されました」と、最大限の敬語で恭しく表現する。おそらく、アナウンサーがさう述べたのであらうよ。

●別の場面。金主席の前へ花束を捧げる小児、これのホツペに接吻する主席。バトムンフ氏はどこへ行つちまつたのかな。なんとなく、金主席にばかりカメラが向いてゐるやうで、妙ちきりんな感じだつた。

●第三の場面。歓迎大衆が小旗を振つてニコニコ顔。しかし、行儀よく、やや硬直した群像である。北は寒いからなあ。さう言へば、両首脳が握手するとき、モンゴルの方は無帽だが、キム主席の方は目深に黒い鳥打帽をかぶつてゐた。これも日本人から見ると妙な作法だ。

●いやはや、分らんことだらけの韓朝関係。それにしても残念だなあ。あのテレヴィ映像、もつと詳しく空港の様子を見せてくれれば、それを徹底分析して何かつかんでやつたのに。

●シャーロック・ホームズ「止めときなさい」

大山津見《おほやまつみ》の神

（十二月八日）

●ここんとこ、アジアの容子《ようす》はちとおかしいねえ。朝鮮半島とフィリピン群島の政情不安にやあ困りものだよ。何かが地の底からプスプス噴出し始めてきてゐるやうだが不発。いつかはドッカンとくるんぢやないかと、みんな周囲の者がびくびくしてござる。

●だが、他人事《ひとごと》ぢやあない。こつちは三原山が大噴火だ。古事記に拠るに、大山津見の神とは火山のことで、その子に「火のカガヒコ」がある。この神様は噴火神だからカガやいてゐる。その妹が「コノハナの佐久夜ヒメ」、この別嬪はマグマの散乱、さてその次は「オド」、「オクヤマ」、「ヤミヤマ」、「シギ」に続いて原山、戸山ときたね。これは火口原と内輪山・外輪山だ。

　古事記の此の火山神たちはきつと、霧島火山帯の阿蘇、雲仙、霧島諸山のことであらう。

●火山の側にも附合つてもんがある。東の三原山が遠く九州の桜島御岳に声をかけて、「どうだい、そつちも一丁、やつくんな」と、誘つたかどうかは知らないが、これまたドカンと噴火して、熔岩が旅館へ飛び込んだ。怪我人も出た。

　韓国やフィリピンに気を取られてゐた我が日本、これをどう考へる。一大警告とは受取れんかね。

昭和六十二年

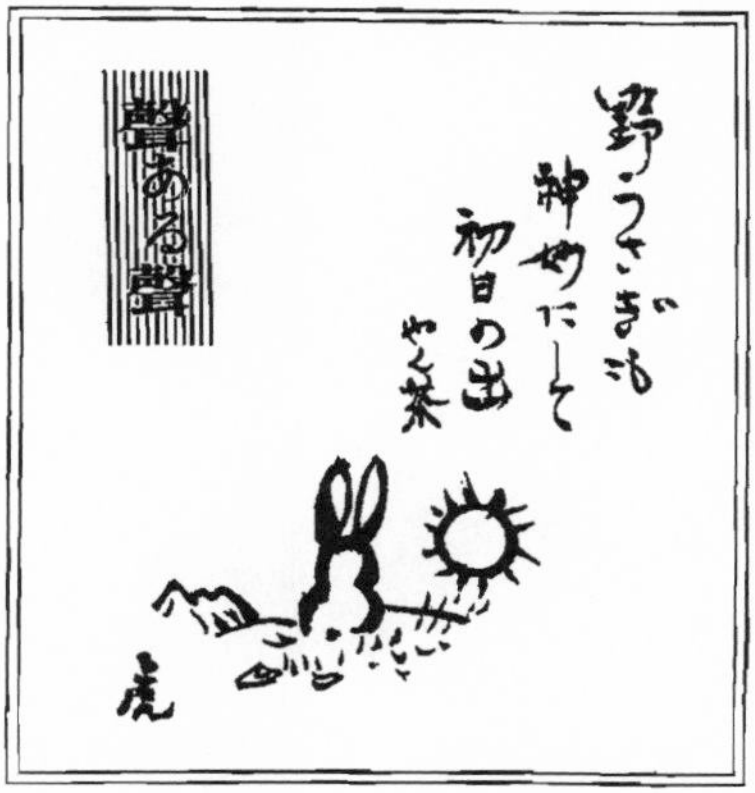
聲ある聲
野うさぎも
神妙にして
初日の出
やく茶
虎

三方外交の隠微な動き

（日付なし）

●嵐の前の静けさ、といふことがあるが、暴雪の前の寒さてえのはやりきれないよ。その雪も、降るのは白雪姫だが、積りやあ泥雪、こいつあ、なほやりきれんねえ。泥をかぶるのを厭はぬは政治家の居直り。

●中曽根首相、ゴルバチヨフ首相招待不調の穴埋めにと、ソ連周辺への大旅行。ご苦労さまだよ、まつたく。フインランドは百年ぶりの酷寒零下三十度、特別機を静かに降りる中曽根プライム・ミニスターの顔も凍結せんばかり。

片や常夏のハワイでは日米防衛協議のヒソヒソ話、どうやらＧＮＰ一％をちよつぴり越えたのが好評ながら、いやもつと出せとの声つぶて。さうかと思へばこちらは北京、竹下ニユウリーダーの耳に※警戒警報のサイレンが沁みこんでくる。いやはや、あちら立てればこちらが立たず、いつもながらの渋い顔を余計くしやくしやにして面倒がつてるのは留守居の後藤田官房長官ときたね。

●三方外交が済むと、今度は通常国会だ。てぐすね引いて待ち構へるのは全野党、再び絶対反対、断乎粉砕の掛声がかまびすしくなるは必定。マル優廃止、売上税新設、防衛費増大、みんな金の事だからいやになつちまふ。あ、、霞を食ひたい。

※鄧小平、日本の防衛費増額に懸念を示す。

エイズ神戸に上陸

（二月二日）

●後天性免疫不全症候群エイズ、遂に神戸港に上陸、うら若い売春婦の罹病発見さる、嗚呼、やんぬるかな。

　症候群ばやりの今日このごろぢやあるが、免疫不全てのはまづいやね。つまりこれ、生命の力を失ふといふ意味に外ならず、たちまち死出の旅路と相成るんだからね。恐ろしい話だ。もつとも、老人には用の無いことだが。

●彼の有名なる新編日本史は、最初の原稿に梅毒の日本上陸について触れてあつたといふ話だ。これは教育上、すこぶる有益な記述だと思ふんだが、いつのまにか消えちまつて、無い。惜しいことをしたもんだ。嗚呼《あゝ》。

　大戦中は国際梅毒だとか、蠟燭病だとかが血の気の多い兵隊たちを震へあがらせたさうだが、戦後はペニシリンの出回りで、六百万単位もぶち込めばケロリとなほつた。スピロヘータ・パリダよ、さやうなら。

●ペニシリンの正体たるや、黴《かび》の中に隠れてゐたさうだから呆れる。不思議なもんだ。昔から、麴屋の職人は性病に罹らないと言はれてきたが、やつぱり、黴のお陰なんだらう。エイズの特効薬もきつと見付かる。山寺の墓場あたりに居るかもしれんなあ。

初任者研修より、中だるみ教師に焼を入れよ

（三月九日）

●新任教師研修のすすめ。臨教審も自分等の意見（第二次答申）が実行に移されるとあつて、さぞいい気分でござらうなあ。

まだ助走（試行）の程度だから、研修を受ける人数は二千人余りで全体の六％ほどださうだが、とにかく早く始めるに如かずだ。とは申せ、これだけでも三十億一千万円もの金がかかり、完全に実施するには九百億円がところ吹ッ飛ぶ勘定たあ、恐れ入つたる次第也だ。

●すでに教員免許を取得し、採用審査にもパスした一人前の男女が新任早々、改めて研修させなければあぶなつかしくて教壇に立たせられんと言はれてはね、身の恥ばかりか出身大学の恥、いかにあまつちよろけな学窓生活であつたかを立証するやうなものだ。免状の大安売にツケが廻つて、国民が一千億に近い金を負担する羽目となる。やれやれ。

本当のことを言ふとね、職業研修といふものは、少少くたびれてきた中古《ちうぶる》教員に活を入れるためにあるべきなんだ。勉強ほつたらかして麻雀に憂身をやつしたりしてござるデモシカ※に鉄槌を下す、これが課題なんだ。

●新任教員研修は「国定教師づくりに通ずる」から反対〈日教組〉、朝日新聞は記事の真先に此の事を書いてゐるが、貼る膏薬も無い重症記事である。フン。

※「教師に「デモ」なるか、教師に「シカ」なれぬ」といふあざけりのことばで、一種の流行語。

世田谷一一〇番がんばれ

（三月二十三日）

●朝刊に折り込んだ「世田谷行革一一〇番」なるペラ一枚裏表刷りをひよいと見た。

世田谷区の行政改革を断行し、区民税の減税を！選挙民に知らされない世田谷の裏事情―ふむ、ふむ。

1、区の経理課主査の汚職書類送検事件。この小役人は懲戒免になるどころか、一割引で千六百万円弱の退職金をまんまとせしめてござるといふ。三年前まで袖の下を温めてゐた。

2、区教委社会教育係の公金使込み（新聞既報）。十一年前。

3、区長の空出張、公金でのハワイ観光。

4、ヤミ休暇（昨年度までで廃止）

5、区職組副委員長（学校の代替用務員）は年間五日の勤務で十二ケ月分の給料を受取つてござる。日給百万円の勘定。

その他、8まであるが略す。

●区長は世田谷区を市にと大宣伝。そのためかどうか、五十億円かけて美術館を建て、上州沼田の在の川湯村にも五十億円の区民健康村を建設したとさ。一体、誰が遊びに行くんだらうな。区の職員や家族が主か。

●地方自治体や特別区の行政が大分腐つてゐるのは先刻承知だが、足下に火がついてゐるとなると、こりや緊張するねえ。裏のつりがね池へ※水垢離《みづごり》をしに来なさい、区役所ぐるみ。

※水を浴びて身心を浄めること。また、願ひごとをすること。……

統一地方選挙に売上税賛否の虚実

（四月六日）

●統一地方選挙戦開幕——街頭で、首相「改革は断乎やらねばならんのです、反対の野党は一つも対策を出さんぢやないですかッ」

その支持のもとなる鈴木都知事「売上税は、いまのままでは、反対せざるを得ないのであります」

これやどうだ。自民党はとにかく内部の割れを収めて売上税無修正国会上程を押し出してゐるが、鈴木さんはヘドモドして歯切れがよくないね。苦境、察するに余りあり。

●財界——売上税

経団連斎藤会長は積極支持経済同友会石原代表幹事も熱烈推進論

日経連大槻会長は修正支持日商五島会頭が独り反対

目から鼻へぬけるやうに経済に明るい巨頭たちがこの有様では、目と鼻をつなぐ管が通つてゐない文学書生に賛否を問はれたつて分りつこなあし。

その分りつこない売上税論、対立する候補者が揃つて反対ではどこが違ふのか、さつぱり分らん。これを称して大混乱と言ふ。自民党があらかじめ周到な用意のもとに大宣伝を展開しなかつたから、こんなみじめな事態を招いたのだ。要するに怠け者さ。

大泉東小学校で日の丸ボイコット

（四月十三日）

●練馬の大泉東小学校で、お定まり「日の丸」事件あり。校長は卒業式場正面演壇に国旗を掲げるべしとし、教員（日教組分会ならむ）はこれに反対して式をボイコット、三十一教諭中、なんと二十四人が職員室に楯籠つて卒業児童をすつぽかしてしまつた。

　式が終ると、サボ教師どもはどやどや式場に入つてきて、卒業生に飾りの生花一輪づつを渡して、「別れを惜しんだ」と、東京新聞は同情ありげに書いてゐる。バカこくでねえ。花一輪なんて、気障なまねすんな。なにが「別れを惜しんだ」だ。

●室内正面に国旗を飾る、これは当世流だが、アメリカのまねだろ。そもそも旗とは外の風に吹かれるからハタハタなんだ。だから学校で式をあげる時は、正門、または校舎の正面玄関に立てるもの、それを演壇にと強ひて主張する校長の神経もをかしい。要するに、サボ教師ともども、成つちやあゐねえつてこつた。国旗が迷惑するわい。

●臨教審は三年の任期がそろそろ終りに近付いて、第三次答申を出したが、これは教科書制度が中心、それを使ふ教師の問題はどう考へてござるやら。すべて、根本は人である。教育界にはどうも人材が居らんなあ。ボケナスが多い。

国語辞典に「ロック死」を登録せよ

（五月四日）

●ロックバンド「ラフイン・ノーズ」がブカブカドンドンやりはじめたら、三千有余の若いのが狂ひだし、舞台めがけて怒濤の如くに押寄せたり。

忽ちあたりは阿鼻叫喚、無間地獄のていたらく、八大地獄は五逆罪、あたら命の落し穴、あたりは血だらけ泥だらけ。あな恐しや、あなうたて。

老教授「国語辞典に新たにロック死を登録せにやいかんな」

●ロックは岩戸神楽の系統を引くものである。ウズメが箱舞台の上に突ツ立ちあがり、ドンドン、ドロンと足踏みならし、神がかりしてオツパイもあらはに、裳緒《もひも》を陰《ほと》に押し垂れる。高天原はぐらぐら揺れて、八百万《やほよろづ》の神の咲《わら》ひがどよめきわたるのだ。

人間はたやすく旋律のとりこになつてしまふ。リズムに乗つてしまつたが最後、もはや理性は働かぬ。思慮分別はケシ飛んで、ただ騒ぐのは血ばかりだ。

●それに比べるとなんだなあ。選挙運動の「お願ひしまあす」連呼にやあ、リズムつてもんが無いねえ。いくら声のきれいな娘さんを動員しても、ウズメたあ違ふから、八百万神がドツとこないよ。ロックバンドを導入せよ。事故が起きても知らんがね。

横田基地にソ連のスパイ

（六月八日）

●スパイ＝スパイダー、独逸語スピオーネ、漢語は蜘蛛、国語は「くも」、人によつては座敷にするする入つて来た蜘蛛を見るとキヤツと叫んで震へあがる。

　軒先に蜘蛛が巣を作る。足早に動きながら見事な銀色の網を張つてゆく。蟷螂《かまきり》や蟬みたいな自分よりはるかに大きい昆虫がその網にひつかかつて動けなくなると、糸を伝はつて獲物に肉迫し、網の中心にある蜘蛛巣城の本丸へひきずり込んで、やをら食ひ始めるのだ。その食ひつぷりの凄まじさ、見てゐて恐しくなるほどに獰猛である。

●人間が演ずる間諜《うかみ》の役を西洋ではスパイダーにたとへたが、うまい形容だ、なんて感心してゐる場合ぢやない。在日米軍横田基地にソ連のスパイが巣を作つて網を張つた。その蜘蛛、実はソ連軍参謀本部情報総局ＧＲＵ員にして国家保安委員会ＫＧＢ職員なる一等書記官であつたさうな。

　この怪人物の手先になつた日本人某々、基地から輸送機や早期警戒管制機に関するテクニカルオーダーを盗み出しては金を貰つてゐたこと発覚、それがなんと、盗品故売といふ一般犯罪の容疑名で逮捕された。スパイ防止法が野党やマスコミの反対で成立せんのだから何とも仕様が無い。日本は蜘蛛の楽園であり国家の失楽園である。

中華・中国の本音は日本蔑視

●北京を訪れた矢野公明党主、鄧小平からチクチク針を打たれて渋い顔。

「鄧先生は本音の対日感情を述べたんだから、こつちも考へなくちやあ、いかんな」と真に受ける。「本音」ねえ、あいにく、向うの本音はむづかしいんだよ。

●外務省首脳某が此のチクチクに反発し、鄧顧問は「雲の上びと」とか何とか、からかひ半分に放談したら、それが筒抜け。やにはに向うが対外硬に固まつて、顧問でなく現役の外交当局がゴツン、ゴツン無礼者めと此方をたたき始めた。霞ヶ関も今度は骨つぽいところを見せようてんでな。藤田アジア局長が「お宅は当方の真意を理解しとらん」とやつたとさ。新編日本史は反中国だといつて検定申請をやめさせようとまでした人がだ。不思議だよ、全く。—さあて、どうなるか、この勝負。

●「中華。中国」の本意とはな。見ての如く、日本を蛮夷の国として扱ふことにある。したがつて、朝貢外交を求めてゐるんであつて、日中友好といふのは決して対等外交を意味しないんだ。論より証拠、曾てヴェトナムと事を構へて軍勢を繰り出した時、北京は附庸の越南国に対する懲らしめの出兵だと唱へたではないか。日本は即はち東夷倭国、その分をわきまへないで対等にものを言ふとご機嫌を損ずる。これが彼の本音、甘く考へちやあ、あかん。

（六月二十二日）

風呂の残り湯は植木鉢用

（七月六日）

●水不足——本当に降らないねえ。などと言ひながら坪庭の苔をながめてゐると、降つて来た。

テレヴィのニュースによると、多少はまとまつた雨量が予想されるけれども、貯水池の増水なんて、とても期待できない、と言つて、渇水ダムの写真を見せること数度。取水制限、給水制限、節水のすすめ……

●思ひ出すなあ。兵隊の時を。豊橋の町外れから南へ太平洋まで続いてひろがる高師・天伯の大荒原での演習。乾いた土地なので水田は無い。農家は兵隊が来ると、井戸の釣瓶《つるべ》を急いで取り去つてしまふんだ。押寄せた兵隊がガブガブ飲んだら、一遍に水が無くなつちまふからだよ。

南海への輸送船に乗つた時には、一日当り水筒一本分、つまり六合（一リットル）だけであつた。これで、飲料のほか、洗面から洗濯までしろとのお達しであつた。

●宿六「風呂の残り湯を洗濯に使ふといいね」

女房「そんなこと、昔からやつてますよ」

宿六「植木鉢の水は残り湯ぢや拙いかな」

女房「そんなこた、ありません。いつも使つてます。母が言つてました。お風呂の水は栄養分があるつて。」

宿六「垢がかい、変なもんだな」

蜩の鳴くころ

（八月三日）

●気象庁が「つゆあけ宣言」を発した途端、大雨小雨が降り続くことと相成つた。こりやどうぢや。

　梅雨前線はなかなかどうして、一筋縄ではつかまらん、気まぐれもんだから天気図を横目でにらんで反対と出る。天邪鬼《あまんじやく》なんだよ。予報官もつらいね。

●俳句の宗匠はうまいこと考へといてくれた。「もどりづゆ」だつてさ。只今人気絶頂のNHK倉島さんはお天気博士である上に俳人ときてゐるから鬼に鉄棒、破顔一笑して天邪鬼の動きを御講釈だ。味よし。

●季語といへば、真夏の風物で小生の最も好む蜩《ひぐらし》が「つゆあけ宣言」に安心して鳴きだした。

　女房どん「池のあたりでカナカナが鳴いてゐますよ、早く」

　老亭主「さうかい、声がまだ小さいねえ」

　女房「そんな遠い処にとぐろを巻いてゐるからですよ。あゝ、去年は七月二十七日に鳴いた、今年は十六日、早いわねえ」

老亭主、皺枯声《しわがれごゑ》で歌ひ始める。

〽蜩よ、蜩よ
お前がカナカナと鳴けば若い日の想出が哀しい
鳴けよ　鳴けよ
　また明日の日暮に

庶民といふやつが曲者

（八月十日）

●またマル優騒ぎだ。国会では政府側がマル優の不正利用による税収の損害を強調するが、野党はその事実を熟知しながら馬の耳に念仏で、廃止絶対反対を怒号し続ける。

三野党の国会対策委員長会談（七月二十七日）では、マル優廃止法案が減税と抱合せで提出されたら審議ストップも辞さずと息巻く始末。やれやれ。

●どうなんだい、一体。野党は巨額の不正利用を是認してゐるのかね。それとも、良くないと知りつつ眼をつぶらうとするには、何か別の理由が有るのかい。

老骨、もともと貧乏で禄に貯金は無いから、利息に税がかからうが、かかるまいが、どうつてこたないんだ。社会党の委員長はいつだつたか、マル優廃止は庶民のささやかな夢を奪ふもんだなんて叫んでゐたつけが、そもそも此の庶民てやつが曲者なんだ。

●曲者が見る夢は、こすつからく法網を潜つて、こつそり他人より増しにならうといふしろもん、ささやかだが、性が良くない。これを護衛しようとする野党はすでに社会道徳を捨ててかかつてゐると見たは僻目《ひがめ》か。

自民党も自民党だ。段々に後ずさりして、見直しだの手直しだのやり始めた。法網を潜らせるための立法、「笊《ざる》を編む人々」か。

あひるの水上ホテル

（十月五日）

●池のあひるの十郎「おい、見な、区役所の車が来て、何か始めたぞ」

あひるの花子「池の真中にお座敷造つて、あたいたちが寝てゐる間に犬や猫に食べられてしまはないやうにと、安全な水上ホテルを造つてくれるんですつてさ。福祉ね」

あひるの五郎「あんな筏《いかだ》みたいなもんの上で寝ろつてのか。衆人環視の中で、冗談ぢやない、寝るなあ池の端の植ゑ込の陰か、叢の中つてことになつてるんだ。をかしくつて」

ポチ「此の僕が家鴨を羽ごと食べるなんて、誤解しないでくれよ。なにしろ、ＰＴＡに連れられて、紐付けられて、自由の利かない境遇だつてこと、人間なら知つてるはずだのに」

三毛「失礼しちやうわ。あんな図体の大きい鳥がいつもひとかたまりに集団組んでるんだもん、狙つたつて勝目は無いから、あちらはあちら、こちらはこちらよ。区役所も造る前にみんなの意見、聞きに来たらよかつたのに」

臨泉亭主人虎先生「それぞれ、もつともだ。区役所もどうかしちよる。筋違ひの福祉たれながしぐらゐ滑稽なものは無い。しかしだ、おい、家鴨ら、新入りの分際でちと生意気だぞ。お前らのジュルフン垂れ流しにも手を焼いとるんだ、ちと遠慮せい。それにしても人間め、ペットを捨て去るとは言語道断、そこへなほれ。

漏るぞ恐ろしき

（十月十二日）

●天皇陛下不豫※の報に接し、胸中騒がしく、一日も速かに御平癒あそばされんことを祈り続ける毎日とは相成つた。幸にして手術も比較的短時間に終り、次第に御回復との事、憂愁の中にも稍々《やや》晴れを感ずる。医師団の最善努力に期待したい。

●心晴れねば天候も雨模様、他の地方が晴れに向つても東京の空は暗い。

ポトン――へばりついてゐる机の真上で妙な音。すはや雨漏りかと、ぢつと耳を澄まして待つ。また、ポタリ。こいつあ本物だ。なんてこつたい、二十七年前に新築のとき葺《ふ》いた三州一等瓦が其の名に背いてペシペシ割れちまつたんで、十年ばかり前に全部葺き替へたところなんだ。いくらなんでもひどいぢやないか。あ、、漏るぞ恐ろしき。

前に住んでゐた屋敷は広かつたが、広いだけに雨漏りもひどく、家中の金盥や馬尻《バケツ》を動員しても間に合はず、これが処分して引越す一因ともなつた。勘定してみたら実に二十三箇所からポトポト落ちてゐたんだよ。

●しかしなあ、我家の雨漏りなんざあ、大したことぢやあない。国の屋根が破れては大変だ。雨漏りなんてなまやさしいもんでない。どうも、破れが来てゐるやうな気がしてならん。緊褌《きんこん》一番せにやなるまいて。

※御病気

五高百年　武夫原頭に草萌えて

（十月二十六日）

●阿蘇の噴煙はゆるやかに立ちのぼつてゐた。南郷谷の東南隅は高森の田楽保存会とやらで、好きな猫岳を見上げながら田楽をしやぶる。
　炭火がカンカン、いくら山の中でも暑いやね。あんまり焙りすぎて、山女魚《やまめ》も豆腐も蒟蒻《こんにやく》もヒリヒリだ。
　女房どん「これ、何でせう」
　亭主「うん、鶏の笹身《ささみ》かもしれんて」
　女房、串を居炉裏《ゐろり》の端から引つこ抜いて口に挟み、右へ引く。口に残つた固まりを噛みながら、「お芋ぢやありませんか」ときたね。
●旧制第五高等学校の創立百周年記念大会に女房ごと招かれた貧書生、他の友校諸豪と共に前夜祭の提灯行列に参加。ブラスバンドを先頭に長蛇の列だ。ドンカ、ドンカ、ドンガラガッタ
〽武夫原頭《ぶふげんとう》に草萌えて
　花の香甘く夢に入り
と進みゆく。その数およそ二千余人。あゝ、旺なり壮なり。剛毅朴訥ドンガラガラ。
●みんな、これが最後だと思ひつめて集まつて来たんだろ。その気持、お互さまだ、分る、判るとも。星霜移り人は去る。去る方の口にまはされた俺たちだ。ギリシヤの哲人ぢやあないが、真昼に提灯かかげて人材を探す心で夕暮の街頭に提灯行列してゐると思へば、これも一趣向かなだ。

信州野倉の夫婦道祖神像は何を物語る

（十一月十六日）

●信州は上田の在、野倉の夫婦道祖神は人気の高い石彫りである。雨の多い今年の秋だが、この日は珍らしく晴れてゐた。黄葉の信濃山路を歩くのもわるくない。といふわけで、運転手まかせのあちら、こちらときた。道祖神にもちくと挨拶せにやあ、なるまい。

●隋円の窪みに浮彫りされた夫婦は公家の礼服も重々しく、ぴつたり身を寄せ、夫は妻の肩を抱き、妻は夫の左手にぎつてニコニコ顔。案内の運転手が滔々懸河《たうたうけんが》の学術的説明。フム、フム。聞き終つた老書生、大講師に問ふ。

老「これ、本当に仲の良い夫婦かね」

　運「なんですと」

老「あのなあ、単なる夫婦和合の像ではないと言つとるんだ。見よ、男の左眼を。あれ、つぶつてるぜ。おまけに、顎を少しく上げて顔をこころもち傾けてゐるぞ。分らんか。これはウインクだ。つまり、一見仲良ささうな夫婦だが、男はフワフワと他の女に気が移る。さうはさせじと女房は、しつかり夫の手を握り、離すものかといふ次第なりだ。実に穿《うが》つたもんさ。」

　運「なあるほどね。いただきませう」

●政治家三人※、揃ひの握手とニコニコ、こんなのは道祖神にならん。

※中曽根首相、後継首班に竹下登を指名、宮沢喜一副首相。

戦争につながる反戦運動

（十一月二十三日）

●北海道の釧路から別海に至る国道を五十キロばかり、陸上自衛隊の戦車三十輌が行軍したら、釧路の労組が「戦争につながる」と号する例の最短絡スローガンを掲げて反対集会を開いたさうな。いやはや。

●キャタピラをゴム製に取替へ、一般車輌の邪魔にならないやうに車間距離百五十メートルを保ち、やつとこせつとこ僅か徒歩行軍二日分ほどの「短距離」を動いただけで此の始末だ。これぢやあ、訓練とは申せませんね。

労組の言分は「これまで戦車はトレーラーに乗せてシートをかぶせ、〝ひそかに運んでゐた〟ではないか、大つぴらに裸体で公道を歩くとは何事だ」との事。酒樽なら薦被《こもかぶ》りも乙なもんだが、戦車の菰冠《こもかぶ》りなんざあ意味をなさんわい。

●戦車は戦争道具だ。スポーツぢやあるまいし、何時もきまつた野原でしか演習できんとあつてはいざ鎌倉といふ時に何の役に立つ。ガスや水道の工事だつて公道を塞いで人や車を廻り道させるんだ。国土を守るために造られた車輌が公道を走つてはいけないといふ法やある。これが法なら戦車をうんと増やして、移動させずとも十分の車輌数が随処に確保されてゐる如く配備すべきだ。それとも、全部廃棄処分にしちまふか。

●新防衛庁長官瓦閣下、御所見や如何。

社会科解体計画は大賛成

（十一月三十日）

●文部省の教育課程審議会がたうとう社会科の解体計画を打ち出した。これは大賛成、むしろ遅きに失したとさへ言へるのであるんである。

我輩は昭和三十年、今から三十二年も前に、社会科と称する愚劣教科の設置に対して強い反対をし始めた。愚劣なるが故に、忽ち階級革命運動の〝隠れ蓑〟として最良の教科にされてしまつた社会科。これは、社会科を押付けたアメリカの予想もしてゐなかつた事態、慌てふためいたが間に合はぬ。

●文部省にも一部に反対がくすぶり続けてゐたが、なにせ大勢順応〝御殿女中〟の異名とつたる文部省だ。虎ノ門に鎮座ましませど、虎の方が泣きだしたくなるほどの猫撫で声でゴロニャンと社会科を礼讃する連中に囲まれては動きがとれぬ。教育界はまたそれ以上に熱烈に支離滅裂なる社会科を尊奉して「民主化の砦」などとほざくありさまだつた。

●なぜ社会科が愚劣で支離滅裂かだと。簡単に言へばだ。社会科には学問の背景も無ければ底敷も無い。卑しい雑学、残飯の雑炊。大事な子弟に授けるにしては余りにも粗末で有害な混乱学習なんである。

社会科の点が悪かつた末娘「さうさう、その通りよ、私の頭が悪いから点が取れなかつたわけぢやないのよね、ヒッヒ」

わが家の日の丸

（十二月七日）

●十一月二十三日は新嘗祭。戦後の虚称は「勤労感謝の日」。此の日、長女一家五人がどやどやと押寄せて来た。言はずと知れた賄《まかな》ひ征伐。

　これを引受けた女房どん、祭の日とて黄色い強飯《おこは》を用意して待ち構へる。黄の色は梔子《くちなし》の実を水にひたして取る。新餅米を黄水に流し込み、黒豆を混ぜて蒸せば出来上りときたね。

　食卓は大賑はひ。〝お代り〟の連発で、さしも大きな飯盥《めしだらひ》も見る見る中に底をつく。あ、有り難や、ありがたや。

●我家の日の丸旗は一般家庭用より大型の、堂々たるものだ。これを門脇に掲揚する。木枯しが吹き寄せて旗は翩翻《へんぽん》とひるがへる。今まで全く国旗に無関心だつた隣家も、たうとう去年あたりから掲揚するやうになつた。結構、結構。

　も少ししたら、孫どもにかどある日に国旗を出す風習について教へにやあなるまい。強飯食はせるだけが能でなし、これはぢぢの役、正月の宿題にしよう。

●ところで新嘗だが、「にひなめ」の「なめ」は舌の先で食物に触れること、すなはち上品に、つつしみ深く、少々味はふことであり、お代り五杯なんてもんぢやない。この辺も考へて、新たに我家一流の儀式を制定せずばなるまい。

まこと世間は修羅場よなう

（十二月十四日）

●日本赤軍の最高幹部とやらいふ世界破壊党の兇漢が偽造旅券で成田空港に着いたところをつかまり、治安当局の緊張が高まつてゐる最中、南アフリカ航空のジャンボ機がインド洋上、モーリシアス東方にさしかかつたところ火事を起して墜落、搭乗百六十人の遭難が伝へられた。中にはわが同胞四十七人ありと。なんともやりきれないねえ。

　これの捜査が始まつたばかりといふのに、今度は大韓航空旅客機がバグダツドから大統領選挙に湧くソウルへ向けて飛行中、ベンガル湾の東部、ラングーンの近くまで来てから航跡を絶つてしまつた。墜落か、ハイジヤツクか、目下、五里霧中。

●韓国からの客がどの飛行機も満員で切符が取れないと、ぶつくさ言ふ。

老書生「日本人観光客で一杯なのかな」

韓国教授「いや、みんな不動産屋、韓国での土地漁りなんだ」

老書生、カツカとしてくる。

●同じやうに飛行機に乗る日本人だが、赤鬼あり、桃太郎あり浦島太郎あり、銭餓鬼あり、まこと世間は修羅場よなう。

—侘びしさに孫ともなうて粕谷なる蘆花の旧居の落葉ふみゆく

博文館当用日記は良い

（十二月二十一日）

●日曜日（十二月六日）の朝、起きて外を見ると、雪が降つてゐる。天気予報が当つたなあ、師走初旬に雪とは珍らしい。この分ぢやあ、先が思ひやられるよ。

●部屋にたてこもつて、机に頬杖ついて、兼好法師ほどの頭も無いくせに物思ひにふける。

　ひよいと前へ眼をやると、書見台に最近買つてきた小型の博文館当用日記が乗せてある。当用は当用漢字を思ひ出すから不愉快だとばかり、このところ買つたことはなかつたが、気が変つて、来年はこれにした。

　何故かといふに、表紙の背にはちやんと昭和の年号が金文字で入れてあるし、中味は縦罫だからだ。それに、旧暦の月日が添へてあるのが気に入つた。また各月の扉には季節ちなみの和歌三首、その他の注記、附録も国風を重んずる心で編んである。

　無いのは大安だの仏滅だのといふ禄でもない記載。編者の見識がうかがへるつてもんだ。せいぜい、愛用して書き込むとしよう。

●それにしてもひどいのは他の日記帳、いや、ダイヤリーだ。みんな英語になつてしまつて、老生みたいな日本人には癪の種だ。自分だけの帳面なのに、何の必要があつて蟹文字ばかり並べやがんだろ。博文館よ、能く孤塁を守つて国語縦罫の旗を下すな、フレーフレー。

パラオの郵便切手に脱帽

（十二月二十二日）

●いつも楽しさうな顔の我が友が、「これ、どうですか」と見せてくれたのはパラオの郵便切手五枚。

【パラオがもと日本の統治下にあつたことは、もはや忘れられてゐるやうだが、大戦後、※太平洋信託統治諸島の一部となり、アメリカが握つてゐる島々である。】

●切手を見て驚いた。一ドル大型切手の絵はペリリウ島にある皇軍飛行士の墓。台座の上にプロペラを直立させた墓。その根元は紅い花で飾られ、日の丸の小旗が立ててある。白衣をまとつた男女が膝をつき手を合せて拝礼するいとも悲しい、そして敬虔な姿を描いてゐるのである。男は神主のやうな烏帽子をかぶつてゐて、妙な風態ではあるが、そんなことはどうでもいい。

●この切手は切取穴のあるシールにはめこまれてゐる。シールの外側は上段右手に大東亜戦争第一周年記念の青色七銭切手で絵は大艦隊の威容、左は平和条約調印記念の八円切手で日章旗が翩翻《へんぽん》とひるがへる。

パラオの人々よ。アメリカの統治下に置かれながら、よくもこれほど率直に日本時代を偲んでくれてゐたもの、あな貴《たふ》と、あなうれし。諸君の爪の垢を日本へ郵送してくれ給へ。忘国病の特効薬として。

※一九八一年（昭和五十六年）、パラオ共和国となり自治制をとる。

昭和六十三年

長屋王邸は六万平米

（一月二十五日）

●老教授「ふうむ」と唸りながら新聞を睨みつけてゐる。

女房どん「ふだん新聞を読まない人が、珍らしい景色だこと」

老「黙れ、ふうむ。千葉県市原の稲荷台古墳から出た刀の銘文が銹《さび》の底から浮き出したか、光線科学の透視力開発はすばらしいもんだな。」

女房「どんな銘文ですの」

老「待て待て、表は二行だな、きつと、ふうむ」

●その二三日後、奈良の二条大路南から長屋皇宮の名を記した木簡出土の報あり、そこが王の邸宅跡であることに確定。こりやどうぢや、坂東、畿内の両方から新史料出現とは不思議なる出合。

女房「長屋王のお屋敷が六万平米ねえ、へえ、大したものね」

老「どうもなんだな、五十や百の敷地に小屋住みの暮しを続けてゐると、たつた二万坪で驚いちまふやうな倭小人間になり果てるらしい。江戸時代の大名屋敷を考へてみるがよい。加賀前田家の本郷の邸は十二万坪だ。各地の城に至つては最小でも五千坪、最大なら…」

女房「わ・か・り・ま・し・た」

老「よろしい」

——陰の声「生臭い話よりはこの方が謎や夢があつて良いよなあ」

獰猛な工作国家

（二月一日）

●世にも恐ろしい国があつたもんだ。工作員を日本に放ち、海岸に遊ぶ呑気なアベックや娘を掻《か》つ攫《さら》つて密航連行、その日本娘を完全に洗脳してテロ要員の教師に仕立て上げる。その者から日本人教育を施こされた自国の娘を日本人らしく見せかけて海外に潜行させ、旅客機を爆破し多数の同胞を木端微塵にしちまふんだからなあ。テロもここまでくるともう人間行為の凶悪の限りをはるかに越えてゐるよ。

●古事記には新羅国主の子、天之《あめの》日矛《ひぼこ》の伝説がある。日矛は山の中で会つた男を脅して赤い玉をせしめる。この玉が美女に変つたので妻とした。妻は夫を手厚く世話したが、心の驕つた日矛は妻を罵《ののし》る。すると妻は、大体私はあんたの女房になるやうな女ではありませぬぞえ、あゝ、祖国へ帰りませう、と言ひ、ひそかに小舟に乗つて海を渡り、難波に帰り着いた。日矛はそれを追ひかけて難波の近くまで来たが、「渡りの神」がさへぎつて入境を許さなかつた。日矛は仕方がないから但馬まで行つて其処に留まつたとさ。

●今でも日矛が居るやうだ。そんな怖いところに住んで人間を殺す仕事の手伝なんぞしてゐずに、小舟に乗つて、娘たちよ、帰つておいで。

陰の声―大丈夫かな。現代日本の「渡りの神」は。日矛の侵入を防げるんかいな―

国際化より日本化が先決

（二月十五日）

●東欧某国の駐箚《さつ》大使某君が公館長会議で一週間ほど東京へ逆出張・ドタバタやつたあと、小宅へ遊びに来たので一献《こん》ときた。
―勿論、客が無くても宵闇迫れば食卓に徳利が立たぬためしはござらぬが。老生の宵闇は酔闇に外ならず・閑話休題《それはさておき》。

江戸ッ子大使は義理堅く育つとるんで、外遊日本人の無礼を難ずること、いと烈しい。眦《まなじり》を決し、口角、泡を飛ばし、その間忙しく寿司に手を延ばして頬張りながら、滔々とまくしたてるんである。
●大使「大学の先生つてもんが、あれぢやあ困りまさ、散々紹介状は書かせる、飯はおごらせるで自分のことにやあ万策尽しながら、いざ帰国といふとき葉書一枚くれるでなし、奥さんを呼び寄せて観光三昧のあげく、サァーッと引き上げちまふんですからねえ。国会議員なみの心臓で……」
老教授「それは不可《いか》んな、国へ帰つてからも音も沙汰も無しかね」
大使「あたりきですよ、商社の人たちにも不義理してゐるなあ、あの分ぢやあ」
●老爺のつぶやき―
国際化より、日本化の方が先決問題であるわい。

全員長男の積りで頑張れと諭す父親の大西郷精神（三月二十一日）

●三月六日（日曜日）は皇后陛下の御誕生日、その昔は地久節と呼んだ。天気清朗にして気分頗《すこぶ》る爽快。

●兄夫婦は今日が結婚五十周年といふことで弟夫婦を近所の旗亭に招き、いささか楽しむ、弟、嫂《あによめ》に向ひ、「地久節の歌は覚えてゐるかね」

嫂「金剛石もみがかずば　玉の光はそはざらんだつたかな」

かくありて酔眼朦朧、ふらりふらりと家に帰る。夕景に至るやガバと跳ね起き、今度は都心のホテルに向ふ。所帯を持つたばかりの若者組が結婚報告会を開くといふんでな。やれやれ、同じ日に古夫婦と若夫婦のいはひごとが相次ぐとは、いそがしいこつた。

●この報告会、延々として尽くるところを知らず。なにせ、聟《むこ》どんは薩摩、嫁女は沖永良部島、南の国の情熱と意気を都へ担いできて焼酎と一緒にヘナチョコどもの口へ大西郷精神を注ぎこまうつてんだから凄い。因みに、聟どん一家は父親の統帥下、一糸乱れず薩摩焼酎の製造販売に励んでござる。男の子四人とも、雄一郎・総一郎といつた塩梅に一郎がついてゐる。全員長男の意気込みで頑張れ、といふのが親心、流石だ。

―四時間半の後、ホテルを後にする。車中、なほ余韻あり

憲法批判はご法度

（三月二十八日）

●卒業式―

兵庫県西脇市の高校では芦田校長の講話が「偏狭な民族主義を生徒に押しつける」ものだとして高教組がいきまき、罷免の要望書を県教委に提出したさうな。

芦田校長は何を言つたか。新聞に見るかぎり、ごく当り前の講話をしただけのこと。要するに、国際化のムードに酔ひ痴れて国際関係のきびしさを知らぬ若者たちへのいましめである。

●以前から言はれてゐることだが、わが日本では常識がすんなり通らない。普通の辞《こと》を話すと異常者とみなされ、追放される。その反対に、非常識な辞をさへしやべくつてゐれば天下泰平、何の災もふりかかつて来ないんである。校長は「国危ふければ立つて戦へ」と生徒たちを激励したのだ。いいぢやあないか。卒業式にふさはしい晴々した一言といふべきだ。

●憲法や教基法は江戸時代の御法度と同じじやうに国民を縛り上げてゐる。あのをかしな法律が正常な日本人に異常な圧力を加へ、一言でも批判がましいことを口にすればお家は断絶、その身は切腹といふ苛酷なお仕置が待ち構へてゐるのだ。校長さんよ、負けるな。

新幹線食堂車中の女《め》狐《ぎつね》客ども

（四月四日）

●新幹線の食堂車中物語―大阪行きの老人、空いた頃合を見計らつて食堂に陣を布く。ハムサラと清酒一本を注文致し、岐阜、大垣、関ヶ原へと移る景色を追ひながらの陶々然。

　ひよいと前方のテーブルを見てあれば、女子大生まがひの長髪娘二人が献立目録を凝視して動かず、ウエートレスに立ちんぼさせたままの不快な一場。

●眼を離してまたチビリ。

　やうやく前のテーブルにも皿が運ばれたらしく、娘どもの頭が下に向いてゐる。間もなく二人とも立つ。伝票を一人がつかんでさつさと退席。人気無くなつた食卓の有様が眼に入つた途端にグワツと怒りがこみあげてきた。なあんと、皿には料理がどつさり残つてをるわい。一口か二口で食べるのを止めちまつたらしいんだな。

老「生意気な娘どもッ」皿を下げに来たウエートレス、自分が怒鳴りつけられたと勘違ひし、真青になつて棒立ち。

老「なあ娘さんや、同じ年頃でもあんたは働らき、あの女狐どもは傲然たりだ。お里が知れらあな」

ウエートレス、忽ち安堵と喜びを顔にあらはして、「あのう、もう一本つけて参りませうか」ときたね。老、答へて曰く

「もう、降りるんだよ」

人間は芥《ごみ》である

（四月二十五日）

●花にちらちら降りかかる
　雪の心はいかならむ
白雪のせてなほ白き
　花の心はいかならむ
花咲く春に雪が降る、そんなこたあ滅多に無い。これぢやあ俳句の宗匠たち、さぞやお困りであろ。しかし見事だつたなあ。裏の池辺の桜、やうやく四分咲といつたところで白皚皚《がいがい》の中に立つ。ふうむ。
●女房どん「その心は」
亭主「雪や花に聞くがよい」
女房「なんだか風流人みたいなことおつしやいますねえ」
●例によつて上野夜桜の大乱痴気。嵐の後の静けさに、残りしものは芥の山、集めて五十噸《トン》とは魂消《たまげ》た。尤も、足があるから帰つてしまつた芥の総噸数はそんなもんぢやない。一人六十キロ平均にしたつて三十万人なら一万八千噸にも達するわけだ。
人間を芥と間違へるな、まあさう威張りなさんな、花見の客はみんな芥、これに違ひはないんだよ。彼等が満喫する解放感は人間であることからの解放をも意味するのだ。だからといつて神さまになるわけではない。さうだとすれば、早く言やあ芥なんだよ、悪しからず。

ペルシヤ湾波頭高し

（五月二日）

●普段は新聞を碌に読まない偏屈老人、此の日は珍らしく黒地白抜きの大見出しを頭にのつけた一面トツプの記事に眼をやりながら、「ほほう」と歎声を洩らしつつ、事の次第を理解しようと努めてゐる。

　老骨「まづ、触雷した米フリゲートのサミュエル・ロバーツだが、ただ被害があつたでは分らんな。小破か大破か、死傷は出たか……

　ところでと、米軍の報復攻撃の方はどうなつとるかな

●四月十八日、戦闘開始。

　ササン海上石油基地の対空砲と地対空ミサイル各四基を爆破。イラン軍は撤退して死傷なし。別にシリー石油基地焼討。駆逐艦の砲撃。イラン兵数人残留の模様なるも生死報道なし。此の二作戦に参加せる米艦は六隻。

次に、ファオ半島をにぎるイラン三万の軍勢にヘリ攻撃。イラク軍参加して一部に旗を立てたりと。

●四十何年も前の骨董品のやうな軍事知識しか持合せぬ老骨、しきりに首をひねつて地図をにらむ。

　老「ふうむ。やつぱり大事な拠点に仕掛けてゐるわい。戦争学はさう変るもんぢやないからな」

　陰の声〈やめときなさい〉

母校の公孫樹が新聞に載った

（五月九日）

●東京新聞の東京版に、私が通つた小学校の写真が載つてゐるのをひよいと見て、何やら感慨の涌くのを覚えた。

校庭には公孫樹《いてふ》の老木がある。六年生の一学期までで中退した私は、その後、母校を訪れることも無いままに六十三年、あの木がその頃も立つてゐたのかどうか、まるで記憶の外である。しかし、同級生たちとの附合は続いてゐる。毎年一回か二回は必ず集まるし、中退生の私も呼んでくれる。この学校は良い学校だ。

●その公孫樹に刺戟されて、直ちに鎌倉行を思ひ立ち、女房ともども材木座の海辺に住む末娘の許へ。

鰹魚の刺身で一杯やつた後、孫ども、桃子、百合を、連れて渚へ出る。砂地をまさぐると、宋の青磁のかけらが見付かるのである。孫の方が遙かに眼が速い。「有つた」、また「有つた」と叫んでは掌に小さい青磁の破片を載せて私に見せてくれる。

鎌倉北条氏の栄華は此の浜へ多くの貿易船を引寄せた。宋の国から舶来の垂涎《すいぜん》物が何度も揚陸された港が此の材木座であるといふ。拾ふ破片は北条氏の運命を物語る。陶磁は「割れ物」といはれるが、一家一族も詰まるところは同じだ。青磁の破片を二つとりだし、継ぎ合せを無駄に試みながら、しみじみ思つたことである。

畑俊六元帥、奥州棚倉の城に死す

（五月十六日）

●前々から一度行つてみたいと願つてゐた奥州の棚倉へ車を飛ばす。

　那須の黒羽をぬけ、伊王野から東北へ道を選び、久慈川の水源、杉また杉の戸中峠をきはめて奥州に入る。峠は今や桜満開（五月二日）。少時車外に佇んで花を愛でる。

　ここを下ればすでに棚倉は眼前にあり。四方を山に囲まれた狭長な小城下は真昼といふのに人影まばらな静けさだ。此の城地、高およそ六万石。城は石を用ゐない土城で濠一重の簡素なたたずまひである。

●城の東北隅、土塁の上に日露戦争の忠魂碑と、支那事変の戦没者二百余人の忠霊塔が立つてゐる。碑銘は派遣軍総司令官だつた畑俊六元帥の揮毫。元帥は奇しくも此の塁上で突如体調を崩し、遂に帰らぬ人となつたといふ。銅板に細字で刻まれた元帥行状を朗誦して愴愴たることしばし。

　だが、考へてみれば、百万の大兵を率ゐて戦野に獅子吼した大将軍、部下の魂魄と共に城の本丸に死すとあれば本望の場所ならん。

●美はしきかな、山や水や……人は生死の巷に流転し、世は興敗のわだちを廻る。山や水や、かはるところなきなり。　高山樗牛

奥野国土庁長官の発言問題

（五月二十三日）

●ここんところ、又ぞろいやに冷え冷えした日が続いてストーブの厄介になつてゐる。五月も十日を越さうてのに、こりや、なんてえこつたい。

気温とは裏腹に、熱くなりかけてるのは奥野※国土庁長官の靖國神社での発言問題。どうにもかうにも、やりきれないねえ。とにかく奥野さん、情況に押されず信念を貫いて下されよ。

●外国は、日本国内に奥野さんのやうな気持の人が非常に沢山ゐることをよく知つてゐる。ただに人数が多いだけではない、さういふ気持には歴史的根拠があることさへ、先刻ご承知なんである。しかし、これを認めてしまつては身も蓋もないから、総ては政略的に日本の悪を責め、己が被害を最大限に強調し怒号するのである。うまいことには、日本国内に彼の政略に調子を合せる太鼓持学者や平和小児病患者がうようよしてゐるので、その連中をチクリと刺して様子を見る。

日本の政治家はすぐに遺憾の意を表明し頭をさげて急場を逃れる。しかし、外国は決して信用しない。逃がすものかと、次の攻め手を考へてゐるのである。緩急自在の手練手管《てれんてくだ》に右往左往する彼我の交際は実に忌まはしい風景としか言ひ様がない。

あゝ、どこまで続く泥濘《ぬかるみ》ぞ…

※奥野誠亮氏、五月九日、支那事変に日本の侵略意図なく、盧溝橋での戦闘は偶発事件と述べて問題化した。

イノン・ウラの絹織物—シルクロード博

（五月三十日）

●博覧会ばやりの今日この頃、多少は浮世の風にも当つてみようと、隊友会が京都で開かれた機会に奈良のシルクロード博なるものを見物に行つた。

　考へてみると、博覧会見物は六十七年ぶりである。大正十一年に上野公園で催された平和記念東京博覧会を見物したつきりだから、我ながらあきれる。だが、これは見物といふより、遊びに行つたと言ふべきであらう。憶えこんだのは池ノ端のガーデンレストランで食べたカツレツの味とソースの香りだけ。由来、ソースの上等下等は此の時の嗅覚を基準にして極めてゐる。

●さて、シルクロード博で選んだのは登大路会場では県立美術館、春日野会場では旧東大寺学園講堂と県立公会堂、目当ては織物類の展示物だけである。その外はカツト。

　遺憾ながら、こと志と違ひ、此の類の出陳はごく僅かで、勉強には材料不足の歎きはあつたけれども、西紀前後の遺物とされるイノン・ウラ（モンゴル）の絹地に毛糸で男の顔を刺繍した織物の裂は印象に残つた。いまは焦茶色だが、二千年前は浅紫だつたのかなと思つて見る。男の顔が良い。にがみはしつて彫り深く、いかにも武人らしい。ソースの香りを想ひ出すよ。

茱萸の実を守る女房の対野鳥作戦

（六月二十日）

●食堂の東窓際に育つた茱萸《ぐみ》にまた赤い実がぶらさがり始めた。

女房どん「なんとかして鵯《ひよ》の襲撃を防ぎたい、しばらくでいいから、楽んで見てゐたいものですね」

亭主「案山子でも立てたら…」

女房「まさか」

●テレヴィで知つたか女房どん、玩具屋から色とりどりのゴム風船を買込んで来た。これをふくらませて、茱萸の枝の間に一つ、梢の方にまた一つとプアプア浮かし、鵯をしりぞけようといふ作戦だ。大丈夫かい。

亭主「その、なにか、鵯のやつ、風船を見て、こんなにでつかい実にお目にかかるのは初めてだと感動し、チユッと嘴でつついたらパーンと爆発つてわけかね」

女房どん「さうではありませんよ、ただ、異常を直感して近付かなければいいの」

亭主「フウン」

●亭主が旅から帰つた翌朝の事。

女房「だめね、いつの間にか風船の気がぬけて、萎んでしまふ。これ、ふくらますのにとても力が要るんですよ」

亭主、手伝つてふくらます気はもとより無し。あゝ、天下泰平なる哉。

「日の丸・君が代に反対するネットワーク」記事のいやらしさ（六月二十七日）

●東京新聞六月十四日号社会面のいともつまらない報道——

「日の丸・君が代に反対するネットワーク」なる「教師・主婦の市民グループ」が見せたアンケート回答の宣伝記事。主婦とは亭主持ちの女教師だらう。だから此のグループとはつまり、日教組の事だ。その日教組が「教師に国旗・国歌を押しつけるのはけしからんと答えてほしい」と、衆参両院議員七百六十二人（定員）にアンケートの形で頼んだわけ。

●右の要望に添うたのは一割五分弱の百十四人、中には「日の丸」は結構だと言ふ議員四十人が含まれる。結構だけれども「押しつけるのは良くない」といふ意見も有つて、「押しつけ反対」が百十四人から、四十人を引いた七十四人よりも多く、八十人あつた。だが、その大部分は社会党員であらう。百十四名中、実に六十五人が社党だからなあ。これで分つた。日教組と社会党の狎合《なれあひ》問答に過ぎないことが。

●新聞が宣伝したいのは、「押しつけ反対」説に荷担した自民党議員が五人ばかり居たといふ結果である。「与党の中にもキッパリと反対する国会議員がいる——」なんざあ笑はせるぜ。いや、泣かせるぜ、と言ひ換へた方がいいのかなあ。その「キッパリ」は、或いは「強制されなけりやあ従はないやうぢや駄目だ」といふ意志表示かも知れん。なにせ、実につまらない記事だよ。

雨降つて地かたまらず

（七月十一日）

●霖——
雨だれが朝顔（承壺《うけつぼ》）付きの鎖をつたつて、ちよろちよろ軒先から落ちてゐる。風流な家であればお姫さまの長い髪ならぬ棕梠《しゅろ》の繊維を太く縒《よ》つて軒から垂らすだらう。そんな道楽はできないから、赤銅製の承壺でまあ、よしとする。これだつて、二万円がとこ張り込んだんだ。金物屋が素寒貧《すかんぴん》書生に同情してか、大幅にまけてくれての二万円だ。

あゝ急に薄日が射してきた。青葉が陽光に照り映えて、つやつやしい。

●「雨降つて、地かたまる——
昔の人はそんな格言を伝へたが、今ぢやあ、さかさまでな、雨は降る降る地山はふくらむ、崖は崩れる家屋は倒れる、堤はこはれる洪水氾濫、住民泣く泣く補償の争論、法廷ごたごた弁護士べらべら、土建屋ほくほく、とくらあ。

〽 雨は降る降る
人馬はぬれる
越すに越されぬ
　田原坂

越すに越せぬは田原坂ばかりぢやない。御用心、御用心

教科書展示会から採択への新編日本史いぢめ

（七月十八日）

●昭和六十四年度用教科書の公開展示は七月一日から十日まで。

　新聞は毎年必ずこれを報ずる。しかも、大部分は検定がけしからんといふ姿勢での記事となつて現れる。公務員にボーナスが出た、といふおきまり記事と同じで、まことにお粗末である。

●たとへば東京新聞・七月三日社会面。「検定に相次ぐ批判」の見出しで、たつた三十人ばかりの「社会科教科書執筆者懇談会」なるものの不平不満談義を十八行三段で大袈裟に掲載してゐる。千人集まつても知らん顔をする新聞が、味方に付いたら三十人でも提灯持ちを買つて出るんだから、新聞の不偏不党が聞いてあきれるよ。

●世界日報は逆に「左傾化にブレーキ」と題して、小学校の国語と社会の教科書の中味に「若干の改善」がみられると評価してゐる。此の記事は「階級闘争のすすめ」的教材の減少を調べ出して改善の跡を認めたもの、新聞界では鬼ッ子扱ひだらうが、まじめな記事だと思ふ。

　展示会が終ると、採択が始まる。新編日本史いぢめがまたこれに添つて陰に陽におこなはれるであらう。信念を貫ぬき、妨害を蹴散らす義勇の精神が何より大切。がんばれ。

親殺しの大罪に理屈をこねる世間の道徳低下

（八月一日）

●夜おそく、週刊誌編集部から電話—

編子「どう思ひます、中学生のあの事件に対するいろんな意見を」

老骨「加害者すなはち被害者論のことかね、そんな屁理屈はどうでもいいんだ。まづ第一に、父母と祖母をみなごろしにした大罪を声を大にして鳴らさにやいかんのに、それをしない。正に天人ともに許し難い親殺し、これを言はないでなあんとするぞ。」

●直系尊属を殺せば死刑か無期だ。しかし、下手人が子供だと少年法が絡みつき、おまけに十四歳以下であればパア。検察官は用が無い。

法律を作つたおとなたちは、まさかこんな鬼畜の所業を子供が犯すとは夢にも予想しなかつたらう。無理も無いわさ、誰だつて同じことだ。

しかし、今は違ふ。子供に人倫の大道を教へない以上、邪魔者は消せ、てなことにすぐなるのだから、再発はまぬがれぬ。先行きは暗いね。

●日教組は勿論、「犯人こそ被害者」の論者。現代教育論のまやかしに溺れた曲学阿世のともがらである。新委員長は叫んだ。執行部は原点に帰らう。結構、結構、おぬしたちの立つべき原点は教室であつて組合事務室ぢやあない。解散して教室に戻り、自ら人倫の大道を学ぶべし。

親の一人「そのう、人倫の大道つて、なんだらう」

※尊属殺の刑は平成七年に廃止された

潜水艦と釣舟のどっちが悪い

（八月八日）

●東京湾内の艦船衝突大惨事―
いつも東京新聞を槍玉にあげるのは、ちくとばかばかしいが、翌朝の報道たるや、もう常軌を逸したヒステリー、これぢやあ、灸の一つもすゑたくなるのは当り前だ。朝日もおんなじで、はなつから潜水艦がぶつつけたものと極めてかかつての悪口雑言。他の新聞は慎重に構へて、調べが付くのを待つ扱ひなのに。

　同紙筆洗先生の如き、「海上自衛隊のたるみは目にあまる」とどやしあげ、「まさか国を守るはずの軍艦がのしかかってこようとは思いもよらなかっただろう」などと、遭難者の心中を代弁したつもりで肩をいからせる。軽卒だよ、お前さんは。

●翌々朝。少しは気が落ちついたのか、第十面に玄人筋の感想を並べ出した。これは逆。竹芝埠頭橋長やベテランの水先案内は小型船の横行闊歩に眉をひそめて批判を加へ、釣船業者も「第一富士丸の方が無理をしたのではないかな」と、点が辛いやね。

●老船舶兵「調べが終らねば分らんが、軍艦が面《おも》舵《かぢ》をとれば、民船もまた面舵をとってたがいによけるのが当然、なのに第一富士丸は取舵《とりかぢ》とって艦の左舷にぶつかってしまった。解せぬことだが、双方の接近ぶりからみて、どのみち、接触は免れなかったかもしれん。要するに、狭い水面に船が多過ぎるのだよ」

越中ふんどしのすすめ

（八月二十二日）

●ソ連軍がアフガニスタンからぞろぞろと山路を越えて北帰行、イラン・イラクの奇妙な長期戦もやうやく終らうとし、八月二十日、グリニッチ標準時の午前三時を期して一斉に〝射ち方やめ〟の号令がかかるといふ。まあ、一応は気が楽になるな。

　しかし、イラクの西はシリア、ヨルダン、イスラエル。東が鎮まれば西に火の噴く懼れありだ。なにしろ気の強い国々だから、油断は禁物、といふところか。頭の痛い話だよ、なあんて、ひとかどの国際通を装ひながら地図をながめて一呼吸――

●頚痛斎「戈を収めて四十余年、あゝ、腑抜けになつたものよなう、わが日本は」

腰痛尼「若い人たち、みんな六本木族になつてしまふのかしら」

痛斎「そもそも、男がふんどしをやめちまつたからいかんのだ、ピンク色の猿股なんぞはきくさつて、フアッシヨンだなどとほざきよる」

痛尼「越中族は滅びたんでせうかねえ」

痛斎「フランスのツウルウズでな、ホテルのメイドが風呂場に吊しておいた洗濯物の越中を見てつくづく感心し、日本には便利なタオルがあるわねと言つたつけ、アツハツハ」

陰の声「越中でなく、赤六尺※にせんかいな」

※赤く染めた長い下帯、昔、男子が水泳に着用。溺れたとき、よく見える安全性がある。

混乱ビルマからの選手団四人

（十月三日）

●ビルマ（ミャンマー）から四人のオリムピック選手団がソウルにやつて来た。まつこと、つつましい参加である。

頸痛斎「フレー、フレー、山椒は小粒でもピリリと辛いといかう」

腰痛尼「気の毒にねえ、ビルマはいま、大変なんでしよ」

頸痛斎「左様、戒厳令下そのものだ。この先、どうなるか分らんが、よくよく注目するとしよう、他人事《ひとごと》ではないからな」

●老の独白「一国の盛衰興亡は機、形、勢の三段階を経て現実のものとなる。機は陰微の間に兆し、凡俗のうすらまなこには見えん。形は肉視し得るが、凡庸の心には留まらず、その恐るべき力を知る能はず。遂に勢至つて怒濤逆巻けば無数の大衆は波浪に呑まれて行方も知れずなりゆくもの。ビルマの難局を向う岸の火事だと思ふまい。殷鑑遠からず、すべからく足下を見よ。繁栄の中に衰亡の兆を感ずるは愚老一人ではないのだ。ふうむ」

●腰痛尼「日本選手団は金メダルには縁が遠いんださうですね」

頸痛斎「産業の方でしこたま金を取つたんで、スポーツの方は遠慮しとるんだらう、しかし、薩摩芋と握り飯だけで頑張らせたら、金はとれると思ふ。古橋※が見本だ」

※昭和二十二年八月、古橋広之進　四百米自由形競泳で世界新記録。

内閣は雲隠れしたか

（十月十七日）

●茅屋の戌亥《いぬゐ》に立つ公孫樹、長雨に祟られてか、葉のもとが黒茶色になり、だらりと下を向いて、枯れたのか腐つたのか、何とも見苦しいありさまだ。この分ぢやあ、黄葉を楽しむつてわけにもゆくまいと、うらめしげに眺める昨今。

かねてより梢の色を思ふかな時雨はじむるみ山べの里　西行法師

●世情に疎い老書生、ふと気が付いて望遠鏡をとりいだし、やをら麹町永田町界隈を覗いたが、霧立ちこめて何も見えん。こりやをかしいぞ、まさか内閣が霧隠れして逃げ去つちまつたわけでもあるまいに、竹下総理の顔も見えず、国会議事堂の中も空つぽ、はて面妖やな、いぶかしやな。

―事情通いはく、「いやいや、左に非ず。シェワルナゼ外相の訪日を機に東アジアの安定を期し、北方領土問題に一大進展をきたさんものと、オリムピックを煙幕代りにしての大奮闘なんだ。無邪気な国民はソウルの方を見てゐればいいんだよ。」ゲッ、そりや、ほんまかいな。

●純良な国民は皇居※とソウルにひたすら心を向けてゐる。そのソウルは終つた。皇居の霧も晴れて、秋の蒼穹を仰ぎたい。

※天皇陛下御重態。

湖東の秋の荒涼たる風景にも似た政官界

（十月三十一日）

●ブッシュ候補はデュカキス候補の愛国心に欠ける言動を批判して点数を上げた。ブッシュ氏いはく、公立学校で、児童・生徒が毎日・星条旗に対する忠誠の宣誓を異口同音に唱へるのは一種の思想統制でけしからんとデュカキス氏は主張するが、これこそ正に愛国心の足りない証拠であると。

老書生「思ひ出すなあ、昔のことを。小学校の第一時限に毎日、当番制で一人が立ち、教育勅語を暗誦したつけ。明治二十三年十月三十日か。心なくあれを止めて、日本はダメ国家に成り下がつちまつた」

●ダメ国家、正にその通りである。大蔵大臣が株式売買に名を貸して「軽卒でした」と国会で頭を下げるは、外交官の亀鑑たるべき大使ともあらう者がへそくりを増やさうと私物の投資ファンドに加入して処分されるは……なんてえどつたるみだ。国家の大事、己れの職務に疎なはたらきもしないくせに、ゼニだけはほしがる、通産省の小者の汚職なんざあ浜の真砂。公務にたづさはる者が法律には触れてをりませぬ、なんぞとヌケヌケ逃げをうちながら私務に精出すのを見るのは耐へ難い。道徳によつて身を律することをすつかり忘れちまつとる放心症候群。

●この醜態、此の惨状をいかにせん、あゝ。

—湖東の秋の荒涼たる風景、暗雲たれこめる窓外にうつろな眼を向けながら、前途を悲しむ。列車は一路、関ヶ原へ。

旧家復興

（十一月二十一日）

●親戚のお年忌に一泊参加。供養する先祖は二人、共に婦人であつて、一人が百年遠忌、もう一人は十三年忌、いづれも長寿者であつた。

この家は当主の努力によつて戦後の悲境から見事に立ち直り、元の建物施設をほぼ完全に復元した。敷地面積一千二百坪、黒の片長屋門を入れば鍵の手に二階長屋があり、正面の母屋、中庭と前庭を区切る黒板塀瓦屋根付もしつかり修理が出来てゐる。

●母屋の表三室をぶちぬいて会場となし、奥に仏壇をしつらへ、その下手に銘々膳三十脚ほどが並ぶ。もはや旅館ならでは見られぬ風景である。懐しいこと限りない。そこへ客。某市の市議会議長で、その母親は清水次郎長の養女となつた人、この女性も九十六歳までとか生きた長寿者である。名はお八重さん。

参列者「おやへさんは本当に丈夫な人だつたねえ」

倅《せがれ》の議長「あれで、亡くなる前に大手術をしましてなあ」

他の客「そんな齢でも手術をするんですかい」

倅「したんですよ」

なにせ、すごい世の中になつたもんだ。冥福を祈ることにしよう。

郷倉の軒下に二宮金次郎――葛飾区堀切小学校　（十一月二十八日）

●東京新聞に、葛飾区の堀切小学校内に保存されてゐる郷倉《がうぐら》の写真と解説が出た。十一月十三日、日曜の朝刊である。

　虎先生「ほほう、草葺の板倉か、棟に堅魚木《かつをぎ》も上げてあるな。やや、倉の軒下に二宮金次郎の像が建つてをるぞ。ありやあ、戦時中の金属回収で撤去されちまつたはずだが、ふむ、ふむ、よく見れば、どうも石像らしい。石の台座には『忠孝』と刻つてある。さて、解説にはどうあるか」

●虎先生、穴のあくほど解説を熟読しつれども、一言半句、金次郎像に触るるなし。

　虎「写真掲載の目的は郷倉にあるのぢやから、文も倉のことだけになるのは当然とはいひながら、絵のど真中にある此の像を全く無視して『郷倉は学校と地域のシンボルだ』などとゴチックで強調するたあ、歴史教育を侮辱するも甚だしい。何たることか」

●考へてみれば、文を書いた新聞記者などは皆、歴史を侮辱するために設けられた社会科で育つた連中だから、二宮尊徳先生を知らんのも無理ないかも知れぬ。曾て日教組は、薪を負ひ読書しながら歩く金次郎の姿を嘲り、「あんなことをすれば視力をそこなふ、保健衛生上の悪例だ」などと児童をたきつけた。付ける薬も無い。

　堀切小学校よ、倉の前の像を大切にせよ。

晩秋の出羽――寶井《たからゐ》馬琴師匠との思出

（十二月五日）

●白木蓮の大きな葉が褐色に衰へて、風一陣、吹けばボサリと地上に落ちる。隣の山茶花は深緑の葉を茂らせ、淡紅の花五六輪、付けて元気は一杯だ。

しかし、なんといつても美しいのは衛矛《まゆみ》の紅葉、げにこそ山錦木とは申すめる。〝どうだん〟の葉の臙脂《えんじ》色もよい。

●東北地方では、錦木が求愛のしるしにされてゐたといふ。思ひ焦れる女の門口に一枝を置いて待つ。再び訪れた時、それが無くなつてゐれば占めたもの、残つてゐれば肘鉄砲、といふわけである。こんな事を思つたからではないが、羽州米沢から山寺（立石寺）のあたりまで、晩秋の東北を急ぎ歩きしてきたと承知されたい。

●米沢の旧藩主上杉家の墓所に参詣し、名君と謳はれた鷹山治憲公の治績を偲ぶ。空堀一重をめぐらせた六千坪余の御廟山は森閑として人無く、質素な素木のおたまやにぬかづけば、思はず心も身もひきしまり、勇気とみに充満するを覚えたり。

此の刻、突然、講釈師寶井馬琴の顔が脳裡に浮んだ。十年ほど前にもなるか、馬琴師匠と組んでの講演会に招かれた。師匠の演題は「上杉鷹山公と細井平洲」、それがしは「大茶を飲み遊山好きする女房は離別すべし―慶安お触書」であつたわい。

一飲三百杯、万巻駆使すべし

（十二月十二日）

●著書を送つてくる、論文を送つてくる。毎日、机上に届く。その数幾十編、文学あり歴史あり、歴史の中にも銀行史があるかと思へば昭和史あり。かと思ふと、文学と歴史の接線を縫ふやうな作品もあり、それらが大袈裟に言はうならうづたかく積もつてしまふ。みんな、よく本を書くものだなあと、つくづく眺めやる毎日。さらば此の山、崩してやらうと一念定めて読み始めたりやポポンがポン。

●寄贈著書との格闘はすでに三ヶ月続いてゐる。片つ端から読んで行くんだから名実ともに乱読である。頭の中にどれだけ残るか、なんてことを思ひわづらつてゐたんではとても駄目、とにかく両眼を上下にせはしなく動かしペイジをめくり、場所によつては朱線を引き、ここを先途と読みまくる。

●ただし、十一月二十五日の前後は特に三島由紀夫の自刃を想起して長編「豊饒の海」の第二巻「奔馬」を熟読した。これは乱読でない。貰つたのではなく、買つてきたものだ。貰つた本なら乱読で購《あが》なつた物なら精読か、そんなこと言はんでほしいな。金銭には関係が無い。著作物と読者の関係が異なるに過ぎないのだ。一方は向うから歩いて来たのであり、他方は此方から歩いて行つたといふ関係の違ひをいふ。さあれ、読書は酒を飲むが如し、一飲三百杯、万巻駆使すべしさ。

夜更けて強風吹き荒るる陛下御重態

（十二月十九日）

●十二月五日、月曜日早朝、天皇陛下重態に拝せられ、侍医長ほか関係官はガバと跳ね起きて皇居へ急行、全力を傾注して処置につとめ、ややうやく愁眉を開くに至る。

国民の心臓は凍る思ひであつたが、ひとまづ胸をなでおろした。すでにお見舞記帳者八百万人、正に「やほよろづ」の神々の如き「くにたみ」が純情を捧げるの図は内外の目を見張らせるに十分だ。一部の異分子が「天皇制を考へる会」（実は皇室を亡きものにせんとする者共のアジ演説会）を随処に開き、日教組が万が一の場合に学校で不埒な反抗闘争を起すべく檄を飛ばし、あちこちの大学に反逆の立看板が林立してゐようとも、善なる国民の心の火を消すことはできぬ。バケツ一杯程度の泥水でトラックに満載した薪の火を消すことは不可能であると知れ。

●此の午前、中央線の大久保と東中野の間に電車の追突事故発生、二人が死に、百余人が重軽傷といふ大惨事発生、なんたる事か。

その夜、神田の学士会館では静かに時世を語り合ふ識者のつどひがあつた。悲哀、憂慮の果てに歴史の尊厳が人々の顔色を照らす。

●夜更けて強風吹き荒れ、梢を鳴らし、おどろおどろしきことかぎりなし。

落葉はそのままにしておくが風情

（日付なし）

●つりがね亭のあるじ虎老人、のつそり家を出る。見送りの女房、後に従ふ。両人は池畔にしばし立止まり、水面をのぞく。池のめぐりに散りゆく落葉を、まるで部隊長が兵隊の員数でも調べるかのやうな目付きで追ふ。それが毎朝のしぐさだ。

●白煙が立ちのぼる。今年、定年で会社を退《ひ》いた近所の人が枯葉を搔き寄せて焚いてござる。きれいに掃除された岸辺は何となく禿げた感じで、感興を削がれる。

　女房〈こつそりと〉—「落葉はそのままにしておく方が風情がありますねえ」

　虎老「いや、焚く火の煙にも情趣ありだ。〈定年氏に向つて〉—やあ、精が出ますね」

　定年「ちと、先生に見習らはうと思ひまして」

　女房〈再び小声で〉—「私たちは芥を集めるのが本当だと思ふけどな」

●焚き場の傍に二人の主婦、にこやかに此方を向いて朝の挨拶。見れば、植込みの端に、盆に載せたコーヒー茶椀二つ、ほのかに湯気があがつてゐる。

　虎老「ほほう、野立てときましたか」

　主婦連〈婉然と〉—「この次には抹茶を立てて進ぜませう」

●見てゐた家鴨太郎、池の中から一句

　　年の瀬や人間に閑雅生ずわれ在りて

昭和六十四年／平成元年

東天の朝朱雲——天皇崩御

（一月二十三日）

●一月六日の夕方、頼まれてゐた原稿「史実と、時の課題」を書き上げた。途中で、酒をしたたかに飲んだ。なんとしても今日中に仕上げてしまはなければいけないと、なにものかに突上げをくらつたやうに懸命に筆を進める。そして、どうやら出来た。

　文の内容は、去年九月の天皇陛下御発症から皇室典範に及ぶものであつて、一国民としての丹誠を披瀝したものである。

●翌七日早朝、くもり。

小暗い東天に朝朱雲。領巾《ひれ》のやうに細長くたなびく白雲が真紅に染まつて。

　女房「なんて不思議な空でせう」

　——発見時刻は午前六時五十分ごろ——

テレビのニュースが天皇陛下の大漸※を報じ、あわただしい空気がみなぎる。やがて崩御の謹告、その時刻は午前六時三十三分と。あの、朱い龍がのたうつやうな朝やけ雲は崩御の知らせであつたのか。天を仰ぎ地に伏して昭和のみかどに慟哭《みね》たてまつる。

●半旗を門に掲げ、一室に籠居謹慎して二日間、動くこと無し。此の日、皇居前への弔問者十三万人に及ぶといふ。

　平成元年一月八日記す

※天皇陛下ご危篤

あとがき

——出版までの経緯とお詫び——

私が初めて村尾次郎先生にお目にかかつたのは、家永三郎氏の起した教科書裁判の第一回証人尋問のとき（昭和四十四年七月五日）であつた。

当時は、安保改定を翌年に控へ、学園紛争はピークに達し、学生のデモは暴徒化して警察の機動隊とぶつかることも日常化し、都心の一角は実に不穏な空気に包まれてゐた。私は大学に入学した翌年で、教科書裁判の何たるかがちやんと理解できてゐた訳ではなかつたが、法廷の空気の何とも云へぬ重苦しさから、外のデモ隊とは別の次元で、この裁判が日本の国にとつて容易ならざるものであることが理解できた。

このやうな威圧的な空気にも拘らず、証言に立たれた先生は実にゆつたりとしてをられ、冒頭古代史部分の検定に関し、例へばとして、後漢の武帝が倭奴国の王に授けたとされる金印（「漢委奴国王」）が志賀島で発見されたといふことについて、様々な角度から懐疑的である旨の陳述がなされた。それは恰も碩学の名講義のやうで、傍聴者は敵も味方もなく裁判であることを忘れて聴き入つた。

反対尋問は一週間後の七月十二日に行はれた。傍聴希望者は延々長蛇の列をつくり、民事の小法廷では半数も入れず騒然となつた。裁判長は刑事の大法廷に切り替へ、一時間遅れで開廷となつた。

反対尋問であるから、相手側の弁護士が次々と挑発的な厳しい尋問をしてくるのに対し、先生は一つ一つ実に冷静に丁寧に応答され、これが昼休憩を挟んで延々と続き、最後に家永氏本人が金切り声で噛みつくやうな質問をした(と記憶してゐる)。これに対しても先生は全く変らぬ冷静な口調で応答され、その日は閉廷した。

今思ひ返すとこの二回の裁判傍聴は、自分の人生にとつて決定的な意味を持つこととなつた。勇躍して進学した大学は、実質半年も経たないうちにストライキに入り、私は右すべきか左すべきか自分の行くべき道が分らずフラフラしてゐたが、この裁判を傍聴してゐるうちに自づから方向が定まつてきたやうに思はれた。

数週間後、夏休みを利用して郷里に帰り、高校時代の恩師である花田惟忠先生を訪ね、平泉澄博士(元東京帝国大学教授)への紹介状を書いて頂き、その年の十月、正式に入門が許された。

それからは同門の末弟といふことでいろいろな行事でお目にかかる機会も増え、特に花田先生が東大の学生になつても一向にバンカラが改まらず、当時副手をしてをられた村尾先生をてこずらせたとのことで、「お前は花田の教へ子か」と喜んで下さり可愛がつて頂いた。

私が昭和四十七年に運輸省(現国土交通省)に奉職してからは、先生のをられた文部省へも青山の全国進路研究所へも度々お伺ひしてご指導を頂いた。先生は学者でありながら戦後の世の中と格闘してをられたので、私が学問的（観念的?）建前論と現実のギャップに苦しんで相談に行くと、実に的確で懇切なアドバイスを下さつた。何より先生の空気感が楽しかつた。

『月曜評論』の「声ある声」欄のスクラップが十数年分保存されてゐることを知つたのは、近畿運輸局（大阪）で勤務してゐた平成十一年頃であつた。何回分か断片的に読ませて頂くと溜飲が下がるやうに面白く、自分が東京に戻つたら単行本として出版させて頂きたいとお願ひしたところ、快く了解して下さつた。

平成十二年四月に本省に戻り、また霞が関勤めとなつたので、新しい仕事や退官後に備へた自宅の手当の傍ら、出版についての打合せをさせて頂いた。先生は風格は全く変られないものの、お身体の方はかなり弱つてをられ体調を崩されることも多くなつたやうであつた。さうしてゐるうちに年末になると奥様の他界の報が届いた。葬儀でお目にかかると、雰囲気は変らないものの随分と憔悴してをられ痛々しく感ぜられた。

先生にとつて大変な年であつたらうと思はれたが、それにも拘らず年が改まつて少し落着いた頃お目にかかると、書名を『燗徳利』として、「はしがき」を書かれ、昭和が過ぎて十数年、書き始めた頃から二十数年を経て人の記憶も薄らいでゐるであらうからと「注」を付けて、殆ど出版用の原稿として仕上げて下さつてゐた。私は恐縮してお預りした原稿を読みながら、「出版会」

に入つて貰はうと思つてゐたメンバーの一人と費用のことや出版社のことなど相談を始めた。

それから数日後、外出先から職場に戻ると、人事課長が呼んでゐるとのこと、中国運輸局（広島）への転勤の打診であつた。さうなると二年計画でやりかけてゐた仕事の整理や、退職後の住処《すみか》として探してゐたマンションの契約等公私共に超多忙となつて、出版のことは広島に赴任して落着いてから進めざるを得なくなつた。

平成十三年四月に広島に着任し、三十四年振りに郷里である呉に帰ると、全国の地方都市の例に漏れず、まちの活力が全く無くなつてゐるのに愕然とした。新任地で、慌しく数か月が過ぎていくうちに今度は私自身の周りが何となくあやしくなつてきて、夏も終る頃、十一月の市長選挙に出て欲しいといふ要請を受けるやうになつた。無論何度もお断りをしたが、たうとう八月末、「困難な方の道」を選んで、二か月の選挙期間で三期目の現職候補に挑むといふことになつてしまつた。

ふるさととはいへ三十四年間も東京暮しであつたため初めの頃は知り合ひも少なく、死にもの狂ひの二か月であつたが結果は負け戦さ。ところが、期待に応へられなかつたことへのお詫びをするはずの選挙事務所が大変な熱気で、あきらめきれないので地元に残つてもう一度出てくれといふ大合唱となつた。私は首長選挙といふ利害を考へれば大きなリスクを伴ふ戦ひに、これだけ純粋に駆けつけてくれたこの人達を置いて東京に戻ることはできないと覚悟を決めた。

浪人生活が始まると、一転して仕事が無い、収入が無い、残つたのは買つたばかりの中古マンションのローンのみといふ状態に陥り、またしても出版の計画は頓挫してしまつた。

地元で雌伏すること四年、次の選挙で何とか雪辱を果たして呉市長に就任したのは平成十七年十一月であつた。すると途端に分刻みのスケジュールに追はれるやうになり、加へて前年度の職員採用をめぐり前市長、助役をはじめ市の幹部五人が逮捕されるといふ事件が起り、その処理に腐心してゐるうちに一年が過ぎ、平成十八年十二月、先生の訃報を聴くこととなつた。私は取り返しのつかないことになつたと後悔したが、現職の市長として地元を離れることも出来ず、ただ悲しみの中でお詫びするだけであつた。

それからは寝ても覚めてもふるさとのまちのことで頭が一杯で、記録を見ると実にいろいろなことに取組んでゐるが、自分の中では瞬く間に十二年間が過ぎ、私個人に関することは何一つ思ひ出せない。

退任すると、時間ができると思ひきや予想だにしなかつた心身の疲れで、これが燃え尽き症候群といふものかといふやうな体調不良が一年以上続いた。

そんなある日、村尾先生の夢を見た。とても長い夢であつた。目が覚めるとまだ先生の温もりがはつきりと残つてゐた。私はいかなる理由があらうとも、自分が先生との約束を果してゐないこと、そしてそれが自分の心の奥底にずつと横たはつてゐたことに気付き驚愕した。時刻はまさに寅の上刻、午前三時を少し回つてゐたが、書斎のクローゼットの中からお預りした『燗徳利』の綴りを取り出して読み返した。二十年前に拝見したときには時事評論的な印象が強く残つてをり、時間を経るに従つて、出版することの意味のやうなものに迷ひも生れてゐたが、読み返してみると、先生ご自身も「際物屋《きはものや》に落ち込むのはいやだ」といふ気持ちがあつたと書かれてゐるやうに、どの章にも洒脱な文章の中に「良き国風《くにぶり》を亨け且つ伝へる」といふ気概が溢れてをり、読む者に何とも云へぬ爽快感を与へてくれる。私はどんなに遅れても出版をさせて頂かうと肚を決め、夜の明けるのを待つて同門の畏友の濵田総一郎氏に電話をして協力を依頼した。濵田氏は二十年前のことをよく覚えてをり、即賛成であつた。

思へばこの本の出版を思ひ立つてから四半世紀が過ぎて了つた。振り返れば、この二十年間は私の人生としては勝負どころではあつたが、決して出版の作業ができなかつた訳ではなく、ただ先送りしてきただけで慚愧の念に堪へない。泉下の先生に深くお詫び申し上げるとともに、読者の皆様には先生が米寿のときに作られたといふ「虎の進軍」の詩をご紹介して、お詫びのしるしとさせて頂きたい。人生百年といはれる時代、こんな米寿を迎へたいものである。

虎の進軍

僕の生れたその歳の　えとは甲寅きのえとら
甲は十干第一で　寅は猛虎の姿なす
星は五黄の土性骨　運は強いと人は言ひ
健くなれよと容赦なく　僕のお尻をひつぱたき

首をつかんで引き伸ばす　かうしておとなになつたれど
くやしいことに痩せつぽち　腕つぷしでは負けばかり
なれど度胸と情熱は　負けるものかと深呼吸
國を憂へて劔を撫し　妻を偲んで歌を詠み
机に向ふ常日頃　腰の痛みは日に増せど
なんのこれしき背を伸ばし　目はかすんでもカツ開き
書いたり讀んだり怠らず　くたばるまでは止めないぞ
我は虎の兒風おこし　進めや進めトテチテタ

なほ出版に当つては、前出の濱田総一郎氏に全面的に協力を頂き、錦正社の中藤正道社長のご好意に甘え、また歴史的仮名遣いのチェックを兼ねて山本直人氏、駒井一氏に校正の労をおかけした。特に記して感謝の意を表する次第である。

小村　和年

著者略歴

村《むら》尾《お》次《じ》郎《ろう》

大正 3 年生れ。昭和 15 年東京帝国大学文学部国史学科卒業。富士短期大学教授、文部省主任教科書調査官等を歴任。文学博士。平成 18 年 12 月 9 日帰幽。

主要著書 『律令制の基調』（塙書房）、『奈良時代の文化』（至文堂）、『律令財政史の研究』（吉川弘文館）、『神の森と人間』（PHP 研究所）、『伝統意識の美学』（島津書房）、『桓武天皇』（吉川弘文館）、『士風吟醸』（錦正社）、『鎮魂の賦』（錦正社）など多数。

昭《しょう》和《わ》晩《ばん》期《き》世《せ》相《そう》戯《ぎ》評《ひょう》

小《こ》咄《ばなし》　燗《かん》　徳《とつく》　利《り》

令和五年一月二十日　印刷
令和五年二月十一日　発行

※定価はカバー等に表示してあります。

著者　村尾次郎
編者　小村和年
発行者　中藤正道
発行所　株式会社　錦正社
〒一六二―〇〇四一
東京都新宿区早稲田鶴巻町五四四―六
電話　〇三（五二六一）二八九一
FAX　〇三（五二六一）二八九二
URL　https://kinseisha.jp/
印刷所　株式会社文昇堂
製本所　株式会社ブロケード

ISBN978-4-7646-0149-9